鈴木邦男の愛国問答

男
解説
9編集部 編

a pilot of wisdom

はじめに　本書に関する若干の覚書

マガジン9編集部

ウェブ上の週刊誌「マガジン9条」（2005年3月創刊、2010年5月から「マガジン9」と改称）で、鈴木邦男さんの連載「鈴木邦男の愛国問答」は2008年6月4日の「第1回　日本一の愛国者、ここに来たる」で始まった。

きっかけは「保坂展人《のぶと》さんを励ます会」の集会での出会いだったと思う。「マガ9」代表が同じ鈴木姓であることから名刺交換し、いろいろと話をするようになった。

むろん、右翼活動家としての邦男さんの名前は世間に轟《とどろ》いていたから、最初はおっかなびっくりの付き合いだった。しかし、リベラル派の代表のような保坂氏の集会に参加していたのだから、一般的なイメージの暴力的な右翼とは雰囲気がまるで違うことは分かっていた。何度か話をするうちに、その柔軟な思考に惹《ひ》きつけられていった。

そこで「マガジン9条」への連載を依頼した。

「マガ9」は当初の名称「マガジン9条」からも察せられるように、「憲法第9条の精神を大切に守るためのプラットホーム」として立ち上がった。したがって、改憲派右翼を自認する邦男さんの連載については、編集部内でそれなりの議論があった。けれど「議論なき改憲や一方的な多数論での改憲強行には強く反対する」という邦男さんの姿勢には頷《うなず》くことが多かった。考え方は違っても、聞くべき意見をお持ちだと判断した。

連載とはいっても、制約はまったくない。好きな時に好きな分量で、時には気に入った相手との対談も可能という、まさに自由気ままな連載の開始だった。そこがウェブマガジンの融通無碍《むげ》なところだ。

邦男さんにもそれなりの思いはあったらしい。連載開始時の文章には、いささか緊張の色が見える。ほとんどものに動じない、それでいて飄々《ひょうひょう》とした文体が持ち味の邦男さんにしては、珍しく硬い。「意外な展開だ。想定外だ。僕が『マガジン9条』に連載するなんて」と、やや肩に力が入っている。本人は「アウェイでの闘いですから」などと言っていた。だが、それもほんの最初の数回だけ。次第に「邦男節」が全開となる。

編集担当は塚田壽子《ひさこ》だった。彼女はその思い出を次のように語っている。

「ファックスで邦男さんから送られてくるのは、癖のある直筆文字。読み解くのに四苦八苦しました。こちらでパソコンで打ち換え、そのプリントアウトをファックスで送り返しチェックをお願いする。なにしろ、当時でももう珍しい手書きの原稿でしたから。

邦男さんはとてもお忙しい方で、全国あちこちに出かけていました。その宿泊先へファックスを送信しチェックしてもらったことも多かったです。でも、どこへ出かけていても、どんなに夜遅くなっても、必ずこの作業をしてくださいました。今週は書くよ、と予定されていて原稿を落としたことは一度もありませんでした。

邦男さんの『マガ9』への期待はとても大きかったと思います。憲法9条を守るという私たちの活動を、とても重要だと思ってくれていました。それだけに、厳しい叱咤《しった》激励もありましたけど。この本は、そんな邦男さんの、本当に『遺言』です。それを宝物にして、大事にしていかなければと思っています……」


なお、本書には前史がある。

2011年11月に、同じ集英社新書から、鈴木邦男著『愛国と憂国と売国』が出版されている。実はこれも、同じ「マガ9」連載を再編集して新書化したものである。しかし連載が80回ほどの際にまとめたもので、それも本来の連載時の文章を解体してテーマごとに換骨奪胎した部分もあり、連載そのものとはやや内容を異にする。むろん、邦男さん自身の手によるものだが、編集者の手も加わっている。

今回は、文章には一切手を加えていない。残念なことに、もう邦男さんはおられない。編集サイドとして手を加えるわけにはいかない。

ただ、連載当初から、テーマや分量はその都度、邦男さんが判断し編集部と相談する、という約束で始まったのだから、掲載順に収録すると、読み手としては内容がバラバラという感じを受けてしまうだろう。それに２２０回を超える長期連載、原稿は膨大な量である。

そこで「マガ９」編集部としては、新書編集部と相談の上、テーマを設定し、それに従って収録するという編集作業を行った。むろん、文章自体は掲載時そのままで、誤字脱字の訂正とルビ以外の改変は行っていない。また、連載タイトルの「愛国問答」が示すように、多くの方々との「対談」も含まれているけれど、本書はあくまで邦男さんの「遺言」として、ご本人の文章のみを収録することとした。前著との多少の重複はあるが、邦男さんの連載全体を俯瞰《ふかん》してみるためには必要と考えた。

連載は約10年間続いた。多忙やその他、さまざまな理由があって定期的に掲載というわけにはいかなかったが、今、読み返してみてもまことに見事、思考は首尾一貫していたことがよく分かる。最終的には体調のこともあり、２２５回の連載で中断ということになった。

もっと書き続けてほしかった。

「日本国憲法」に関して、いささか不穏な空気が漂い出している現在においてこそ、鈴木邦男の憲法論、政治論、社会論はますます必要になっていると言わざるを得ない。

出《い》でよ、次代の鈴木邦男。

目次

はじめに　本書に関する若干の覚書　マガジン9編集部――3

第一章　愛国心――15

1　日本一の愛国者、ここに来たる（第1回　２００８年6月4日）
2　「反日」だらけのニッポン（第2回　２００８年6月18日）
3　「アナキズム」宣言（第34回　２００９年9月23日）
4　五輪は、都市対抗スポーツの祭典へ（第35回　２００９年10月7日）
5　僕を育ててくれた街、仙台（第71回　２０１１年3月23日）
6　「愛国心」は理性を狂わせる（第１０６回　２０１２年8月22日）
7　「偉い人」はつくられたのか？（第１４９回　２０１４年4月23日）

8　8月15日、靖国神社の光景（第157回　2014年8月20日）
9　「闘う」のはそんなにカッコいいのか（第204回　2016年8月17日）
10　「日本第一」にだまされるな（第215回　2017年1月25日）

第二章　憲法

1　「明治憲法復元改正論」を唱えていた40年前（第3回　2008年7月2日）
2　護るか？　変えるか？　憲法1条から8条まで（第4回　2008年7月16日）
3　憲法9条は、戦争放棄と戦争箒をうたっている（第18回　2009年2月4日）
4　岬の思想（第20回　2009年3月4日）
5　3・11以後の改憲論議（第74回　2011年5月11日）
6　国民投票で、冷静に「改憲」を判断できるのか？（第202回　2016年7月13日）
7　改憲運動をやってきて、いま思っていること（第217回　2017年2月22日）
8　憲法を変えれば、〈現実〉も変わるのか？（第220回　2017年4月5日）

第三章　表現の自由

第三章　表現の自由 103
1　街宣の原点にかえれ（第7回　2008年9月3日）
2　なぜだ!?　映画『靖国』が中国で上映禁止（第22回　2009年4月1日）
3　美術館に展示された〈天皇〉（第50回　2010年5月12日）
4　「暴力団排除条例」を考える（第84回　2011年10月12日）

第四章　差別と格差

第四章　差別と格差 123
1　「中国といかに向き合うか」を考えた（第136回　2013年10月16日）
2　僕を守ってくれた人たち（第140回　2013年12月11日）
3　大杉栄が生きた時代と今（第170回　2015年2月25日）
4　「ラスコーリニコフの社会」について考えた（第171回　2015年3月11日）
5　ソウル大学で、ヘイトスピーチについて話してきた（第172回　2015年3月25日）

第五章　宗教と政治 151

1　反戦僧侶・竹中彰元のこと（第54回　2010年7月7日）
2　「オウム」を消してしまうだけでいいのか（第87回　2011年11月30日）
3　芹沢光治良記念館で考えたこと（第147回　2014年3月26日）
4　「宗教」と「愛国心」は似ている（第199回　2016年5月25日）

第六章　憂国 173

1　強いリーダーを欲する「蟻の集団」（第8回　2008年9月17日）
2　「国民議員制度」を提案する（第33回　2009年9月9日）
3　政治家と政治評論家（第45回　2010年3月3日）
4　ないものねだりはやめよう（第46回　2010年3月17日）
5　連合赤軍化する日本（第92回　2012年2月8日）
6　日本人は「優しさ」を取り戻せるのか（第115回　2012年12月26日）
7　僕らはずっと負け続けている（第126回　2013年5月29日）

8 「安全」「安心」「平和」を求める国民の不安がつくり出した法律
(第141回 2013年12月25日)
9 「潜水病」にかかってしまった日本 (第158回 2014年9月3日)
10 「三島の不在」は、あまりに大きい (第168回 2015年1月28日)
11 どうして老人が「過激派」になるのか (第179回 2015年7月8日)
12 靖国参拝と70年談話について考えた (第182回 2015年8月19日)

第七章 右翼と左翼

1 「怪物弁護士」遠藤先生に学んだこと (第16回 2009年1月7日)
2 井上ひさしとクニオ (第42回 2010年1月20日)
3 長くて暑い8月15日 (第132回 2013年8月21日)
4 孤立無援で闘ってきた人たち (第150回 2014年5月14日)
5 僕を変えた32年前のある出会い (第154回 2014年7月9日)
6 デマと闘う選挙運動の異常さ (第165回 2014年12月10日)
7 一水会「脱右翼宣言」と、これからのこと (第181回 2015年8月5日)

解説　覚悟の男・鈴木邦男　白井　聡

・肩書きは当時のものです。
・敬称は省略している場合があります。

第一章　愛国心

1　日本一の愛国者、ここに来たる

（第1回　2008年6月4日）

意外な展開だ。想定外だ。僕が「マガジン9条」に連載するなんて。「僕でいいの？」と何度も聞き返した。読者だって戸惑っているだろう。「何でこんな奴《やつ》に連載させるんだ」と。だから反対の声が強かったらすぐにクビにしてほしい。民主主義には従う。

そうだ、一度、インタビューしてくれたことはあった。でも、あれは「マガジン9条」の余裕。寛容だと思っていた。「改憲派にもたまには発言させてやるか」という「強者の余裕」だろう。そしてそれが岩波ブックレットの『使える9条』に載った。「12人が語る憲法の活《い》かしかた」と書かれているが、異分子は僕だけだ。皆「活かしかた」を真剣に、キチンと論じている。異分子の僕だけが、憲法の「壊しかた」を喋《しゃべ》っている。全体の統一と調和を一人で乱している。申し訳ない。でも、これも「勝者の余裕」だ。「壊しかた」も含めて論じ、それが大きな意味で「活かしかた」になっている。改憲派の右翼をも「活かし」て使おうという大きな度量を感じた。これこそが〈日本精神〉かもしれない。感服した。

最近思うのだが、憲法論議にも「ねじれ現象」が起きている。政界と同じだ。40年間も改憲運動をしてきた僕なのに、改憲派からは全く相手にされない。改憲派の集会には一度も呼ばれない。むしろ「獅子《しし》身中の虫」だと思われている。「同じ」はずなのに少しでも違いがあると許せないと思うらしい。よく言えば潔癖なのだ。でも余裕がない。

変な話だ。世の中は「右傾化」だと言われ、改憲派の方が多いと言われているのに。なぜなんだろう。「勝者の驕《おご》り」なのか。いやいや、本当は「勝者」ではないのかもしれない。誰かがつくったムード、誰かが言い出したムードだけなのか。「守る」よりも「見直し」「改革」「変化」の方が格好よさそうだ。それだけのムードやイメージだけかもしれない。だって、「憲法見直し」には賛成だが、「9条改正」にはちょっと待て、という人が多い。また、前文をはじめとした具体的な改憲案が出てくると、「えっ、変えてこんなものにするの?」と戸惑い、「だったら今の方がまだいいや」と思ってしまう。前文については僕だってそう思う。それに改憲を主張する人間の品格がある。こんな奴がやるんじゃ嫌だ、と思ってしまう。だから「勝利」を目前にして「改憲派の内ゲバ」が始まったのだ。批判、罵倒、個人攻撃……と、まるで連合赤軍的内ゲバ状況だ。

それに比べて、護憲派の方は大らかでいい。品格もある。まあ、本当はいろんな事情を抱え、内ゲバ的状況もあるのかもしれないが。でも僕は「外部」の人間だし、異分子だから、内部事情にはタッチしてないし、知らなくていいんだ。

もしかしたら、「守る」という姿勢は、優しく広がりがあるのかもしれない。寛容になるのかもしれない。本当は嫌いだが、でも天皇制を含めて、この憲法を守ろうとする。うん、最大の「天皇制擁護」勢力だ。護憲派は「右翼」だ。そこまで言ったら「褒め殺し」か（褒めてないか）。

また、前文から始まって、全て「歴史的仮名づかい（旧仮名）」で書かれている。それを含めて、護憲だという。日本の歴史・伝説を一番守ろうという人々じゃないか。「この憲法の精神を活かし、歴史的仮名づかいにしませう！」という運動だって起きるだろう。この憲法を軸にして「右翼革命」が起きるかもしれない。右翼の場合は、革命じゃなく「維新」の方が好きだ。じゃ、憲法を軸にした「平成維新」だ。これは十分にありうる話だ。その尖兵《せんぺい》が僕かもしれない。僕は敵の陣地に放たれたスパイだ。工作員だ。そんな危ない人間を、護憲派は受け入れ「活かし」ている。いいのかよ、と心配になる。

護憲派にも、いろんなグループがあるらしい。これも不思議だ。「変える」のなら、いろんな変えかたがある。しかし「守る」んなら、同じだろう。誰が、どのように守るのでも、「守る」ことは同じだ。「守る」内容は同じだ。でも、いろんなグループがある。あるいは反目や対立もあるのかもしれない。奇妙だ。分からない。誰か教えてほしい。この連載では、いろんな人との対談も考えてるというから、その点も教えてほしい。

このグループに呼んだ講師は他のグループには呼ばない。このグループではどこの政党と近い。このグループはどこの労働組合と近い……と、「噂《うわさ》」は聞く。でも、いいじゃないか。守る「内容」は同じなんだから。あるいは、「守りかた」の強弱があるのか。「守りかた」の方法論が違うのか。それでは「愛国心」と同じだ。「愛しかた」の強弱が違う。「愛しかた」の方法論でけんかしている。「愛」なんて口に出すから嘘《うそ》になる。心の中に秘めておけばいいという人もいる（僕だけど）。

ところで、護憲グループだ。「守りかた」の温度差はあるのだろう。でも、僕は、その全ての護憲グループに呼ばれている。「九条の会」「9条連」「憲法行脚の会」「9条ネット」……と。それに去年の4月にはニューヨークの「護憲シンポジウム」にまで呼ばれて行ってきた。憲法24条を書いたベアテ・シロタ・ゴードンさんとも話してきた。これは奇跡的なことだろう。だったら、僕がやってやろうか。日本の護憲グループの大同団結を。いや、世界中の護憲グループの大同団結を。うーん、夢が膨らむな。

でも、その前に「裏切り者め！」「国賊！」と、右翼に殺されるかもな。いや、狙われるほど大物じゃないし、何も「裏切り」は今に始まったことではない。右翼だって、呆《あき》れはてて、相手にしないだろう。

何を考えているか分からない。何をしでかすか分からない。自分でも自分の心が読めない。自分でも持て余している。そんな僕でもいいのだろうか。「いいですよ」と「マガジン9条」は言う。日本一自由で開かれた場所だ。よし、挑戦してみよう。ここで書くことで、さらに強固な改憲派になるか、護憲派に転向するか。あるいは憲法なんかいらないという「超憲派」「無憲派」になるのか。自分の成長、変化が楽しみだ。励ましなんかいらない。どうせ友達なんかいないんだし。愛も連帯も支援もいらない。批判・罵倒だけでいい。あるいは「こういう考え方はどうだ」「これについてはどう思うのだ」という難問をぶつけてほしい。それをどう料理するか、あるいは、つぶれて終わるのか。それも見届けたい。何を書き、どうあがき、どう暴れるか。読者と共に、僕も「新しい鈴木邦男」に期待している。

2 「反日」だらけのニッポン

（第2回　２００８年6月18日）

「スイカに塩をかけると甘くなるんだよ」と子供の頃、母親に言われた。「嘘だーい！」と言って、わざと砂糖をかけて食ってやった。でも、あるいは本当かもしれないと最近は思う。舌がだまされているのか。いや、〈敵〉の出現で己が使命に目覚め、スイカが全力をふりしぼって甘さを発揮させるのだ。自衛本能だ。いや、闘争本能だ。

さて、これからは右翼も左翼もなくなる。１００％ピュアーな右翼や左翼なんていない。そんなパーフェクトな人間はいない。個人の中に、右翼度何％、左翼度何％という形で残る。それだけだ。僕は、今では「右翼度30％、左翼度70％」くらいだと思っている。毎日、思想的基礎体温を測っているから分かる。

四捨五入したら完全な左翼だ。それなのに、いつまでも〈右翼〉と言われ、罵られている。そんな僕なのに、今、この「マガジン9条」に原稿を書こうとしたら、何と「右翼度」が95％にまで急上昇した。いったいどうしたことだ。塩に出会ったスイカだ。仕方がない。右だけアップテンポのまま続けよう。

映画『靖国《やすくに》　YASUKUNI』（２００８年）は、反日映画だ。けしからん。中国人が監督だ。

これも反日だ。ありもしない「南京事件《ナンキン》」の写真、映像を使っている。これも許せん。大体、虐殺なんて一切なかった。この事件の後、南京は逆に人口が増えている（まいったな、右翼度が急上昇したので、いつもと違う）。

それに台湾や韓国の人が「祖霊を返せ！」と言っている。反日だ。また、旧日本兵やコスプレ日本兵が刀を抜き、らっぱを吹いている。これも反日だ。騒々しい。「静かに眠らせてくれ」と英霊が言っているじゃないか。

小泉も反日だ。参拝に来て、ポケットからバラ銭を出していた。それはないだろう。お前なんか来てほしくない。誰も「首相万歳」と言って死んだ人間はいない。皆、「天皇陛下万歳」と言って死んだ。だったら天皇陛下に来てほしいのだ。来てくれないのなら天皇陛下も反……、いやいや違う。A級戦犯が合祀《ごうし》されているから嫌なのだ。だったら分祀したらいい。天皇陛下の命令だ。「忠良な臣」のA級戦犯は、皆聞くよ。追い出すのではかわいそうだから、昇格させる。新たに「A級戦犯神社」をつくる。名前がまずいな。「愛国者神社」をつくる。今や、愛国者ブームだ。皆、そっちにドッと参拝に行くよ。

そうだ、映画『靖国』の話だ。あんな反日映画に大金を出した文化庁は反日だ。つぶす。だって、それ以外にもロクな映画に金を出してない。アニメと娯楽映画ばっかりだ。日本人の脳を溶かし、馬鹿にするものだ。何にも考えない阿呆《あほ》な日本人をつくる気だ。『靖国』以上に反日だ。

映画もテレビも皆、反日だ。だってアニメ、娯楽、お笑いだけじゃないか。反日ばかりだ。「日本精神」を教えるものがどこにあるのか。ない。反日だ。なかにはいい映画があるって？ないよ。昔、東条英機を持ち上げた『プライド　運命の瞬間』（1998年）という映画があった。最近では『明日への遺言』（2008年）という映画があった。このことを言ってるんだろう。「愛国映画」だって？　冗談じゃない。これも反日映画だ。大体、東条は、戦争は嫌だという天皇に逆らって戦争を強行し、負けた。戦争中は「こんな奴に任せていたら日本は滅びる」と思い、東条暗殺を図った右翼もいたほどだ。東条なんて反日だ。

また、『明日への遺言』だ。捕虜にした米兵を正式な裁判もなく部下が処刑した。その責任を取って東海軍司令官の岡田資《たすく》中将が東京裁判で殺された。直接責任はないのに、一切の罪を引き受けて死んだ。こんな偉い軍人がいた。愛国映画だという。ちょっと待て。司令官に全て罪をなすりつけ生きのびた下手人はどうなんだ。おかしいよ。それに映画のナレーションでは、「日本は重慶を無差別爆撃し……」「この太平洋戦争では……」と言っていた。日本は無差別爆撃などしていない。また、あの戦争は「大東亜戦争」だ。閣議で決め、その名前で闘った。「太平洋戦争」なんてアメリカが後で勝手につけた名前だ。日本兵は誰も「太平洋戦争」なんかしていない。このナレーションも反日だ。

それに「部下の責任を取って死んでいった」というのが嫌みだ。「天皇は責任を取らなかったじゃないか」と暗に批判している。反天皇の映画だ。反日だ。

映画それ自体がアメリカの「日本弱体化政策」の強力な武器だった。アメリカは日本が二度とアメリカに立ち向かわないように、日本を骨抜きにした。憲法を押しつけた。教育制度を変えた。歴史を捏造《ねつぞう》した。そして「3S政策」を強行した。「3S」とは、「スクリーン・セックス・スポーツ」だ。これをアメリカは押しつけて、骨抜きにした。今の日本を見たまえ。この3つを抜きにしての日本はない。なげかわしい。「3S政策」なんて本当かなと、学生時代は思った。しかし本当だ。最近、佐山サトル（初代タイガーマスク）も言い出している。でも、お前だって「スポーツ」じゃないか。プロレスは違うのか。いや、アメリカから来たものだ。じゃ、プロレスも、佐山も反日だ。佐山は自己批判を込めて言っているのかもしれないが、手遅れだ。

アメリカが押しつけた映画だけじゃない。アメリカ映画を見習った日本映画も皆、反日だ。日本弱体化だ。それに、パソコンも携帯も反日だ。本も読まない。日本の文化・伝統も知らない。こんな奴らは皆、反日だ。明治時代、神風連は欧化に反対して決起した。汚らわしいと言って電線の下は通らなかった。この潔癖な日本精神こそが今、求められている。パソコン、ネット、携帯を使う奴は、皆反日だ。西欧風のマンションに住む奴も反日だ。昔ながらの長屋でいい。みやま荘〔筆者がかつて著作などで住所を公開していた住居〕でいい。車に乗る人間も反日だ。日本人はどんな時でも歩いたのだ。疲れたら駕籠《かご》を呼べばいい。

ハッと我に返って考える。「反日」という言葉も変だった。日本の外にいて、日本を客観視している。元々、中国人が使ったのだろう。戦争中に。「抗日戦線」とか「反日」というふうに。じゃ、「反日」は〈中国語〉か。だったら、こんな言葉を使うことも反日だ!

3 「アナキズム」宣言

（第34回　２００９年９月23日）

叙勲制度には反対だ。それに文化勲章や国民栄誉賞にも反対だ。こんなものはいらない。大体、この過当競争の社会において、「成功者」はそれだけで称賛を受け、勲章を受けてるようなものだ。オリンピックで優勝した、ノーベル賞をもらった、芸術家として世界に認められた。それが〈勲章〉だ。さらに国家が追認して称《たた》える必要はない。ましてや政治家や裁判官や各省の役人だ。何十年か勤めたからといって、勲章をあげる。おかしいだろう。旧社会党の人たちだって、「国家への功労者」だとしてもらっている。「叙勲を拒否しろ」と野暮なことも言わない。何も嫉妬で言っているのではない。それに「叙勲を拒否しろ」と野暮なことも言わない。叙勲パーティに呼ばれれば行くし、お祝いも言う。本人も喜んでいるし、それはいいだろう。

それよりも、「制度」を変えなくてはならない。パラダイム（枠組み）チェンジだ。変革の民主党にはぜひやってほしい。叙勲制度があるからもらいたがる。もらったらうれしい。誰だって褒められたらうれしい。僕だって万が一、くれるのならもらっちゃうだろう。そんな人間の弱さにつけ込んだ制度だ。そして「差別」をつくる。だから制度そのものを廃止したらいい。資本主義・過当競争社会の「成功者」だけを称賛するなんて、天皇陛下も疑問に思っているのではないか。サイパンでは国を超えて亡くなった人々を慰霊し、国内で地震などの災害があると駆けつけて、膝をついて語りかけ、励ます。そこに天皇の姿を見て、僕らは涙ぐむ。弱い人、恵まれない人々を励ますために天皇制はある。また、それらの人々を具体的に救うために国家はある。

強い者、成功した者は放っておけばいいんだ。十分に称賛されている。弱い者、傷ついた者を救うのが国家の役目だ。大体、人間は何のために国家をつくったか、考えてみたらいい。黙っていたら強い者だけがまかり通り、弱者を喰《く》いものにする。ホッブズだってそう言ってるじゃないか。だから、弱者も生きられるようにルールをつくった。それが国家だ。だから、国家本来の仕事に専念してもらいたい。

それと、失敗したり、他人に迷惑をかけた時は謝る、弁償する、ということだ。個人の生活でも当然のことだ。教育だって「ごめんなさい」と「ありがとうございます」。この二つだけでいい。これさえ言えれば、立派な人間だ。知識や情報なんて、パソコンで瞬時に手に入る。知的教育なんてもう必要ない。この二つを言える人間をつくる。それだけでいい。だって、街に出てみたらいい。テレビを見たらいい。自分が間違っても絶対に認めないで、他人のせいにしてる人間ばかりだ。そんな思い上がった人々だけが政治を語り、世の中の「幸せ」を語っている。

間違ったら謝る。親切にされたら礼を言う。これだけでいい。個人だけじゃない。国家だってそうだ。国家の最大の犯罪は戦争だ。だから謝罪する。迷惑をかけた人々には、謝る。国家が続く限り、謝罪する。そして、二度と戦争しないことを誓う。そのための具体策を講じる。戦争で亡くなった人々を慰霊する。国家が続く限り、やる。国民を戦争に駆り立てて、殺したのだから当然だ。

国家によって殺された人はもっといる。関東大震災の直後、憲兵によって殺された大杉栄《さかえ》、伊藤野枝《のえ》、（大杉の）甥《おい》の橘宗一《たちばなむねかず》、特高警察によって拷問され殺された小林多喜二。でっち上げ裁判で「大逆事件」として殺された幸徳秋水たち。これも、「国家の犯罪」だ。たとえ現場の憲兵や警察官が「勝手に」暴走してやったとしても、「国家」が責任を負うべきものだ。大逆事件は裁判をして殺したんだから、なおさら国家の犯罪だ。こうなると、国家こそが「最大のテロリスト」だ。右翼や左翼のテロなんて、これに比べたら小さい、小さい。とすら思う。

さらに冤罪《えんざい》で何十年も獄に送られた人もいる。獄死した人もいる。これらも国家の犯罪だ。国家がキチンと責任を取るべきだ。国家が謝罪・賠償し、その上で勲章をあげるのなら、この人たちにこそあげたらいい。残虐な国家と闘った勇気ある人々だ。ここにこそ人間の尊厳がある。今からでも遅くない（本当は遅いのだが）やってほしい。また、大杉栄、小林多喜二、幸徳秋水らは、遡って「国葬」にする。改めて葬儀をしたらいい。殺した日は、記念のために休日にする。毎年「国家の犯罪」を忘れないためだ。国家の暴走を許さないためだ。

それによって国家の「思い上がり」目線を阻止すべきだ。格差社会、過当競争の被害者・犠牲者を救う。国家の役割はそれだけでいい。「強い国家」「凛《りん》とした国家」なんて必要ない。自分が凛とできないで、国家に求めるなんて悲しすぎる。

9月12日、新潟県新発田《しばた》市に行ってきた。この新発田市は大杉栄が5歳から15歳までの10年間を過ごしたところだ。自分の故郷だと大杉は言っている。「新発田の自由な空」をいつも思い出していたと『自叙伝』に書いている。ここでは毎年、「大杉栄メモリアル」が開催されている。今年は何と僕が呼ばれて講演した。その興奮が醒《さ》めやらぬ中で、この原稿を書いている。大杉の魂が乗り移ったようだ。だから自動書記のような文章になった。

〈思想に自由あれ。しかしまた行為にも自由あれ。そして更にはまた動機にも自由あれ〉と大杉は叫んだ。実行した。僕だって、自由を求めて運動に飛び込んだのだ。たとえ「右翼」と人々に蔑まれようと「自由」を求めて闘ってきたことは事実だ。共産主義からの自由、国家権力からの自由。あらゆる強制・束縛からの自由だ。それをアナキズムと言うのなら、僕だってアナキストだ。そうだ、新発田駅前には、大きな塔を立て「アナキズム宣言都市」と書いたらいい。非核宣言都市、護憲宣言都市のように。そうしたら、新発田の「自由な空」が日本中に広がり、世界に広がるだろう。

4　五輪は、都市対抗スポーツの祭典へ

（第35回　2009年10月7日）

2016年、五輪東京落選！　でも、よかったじゃないか。おめでたいことだ、と僕は思いましたね。石原都知事もご苦労さんでした。有終の美は飾れなかったけど、投げ出さずに残りの1年半、頑張ってもらいたい。「東京落選なら責任を取る」って言ってたから、都知事を辞めるんじゃないかと囁《ささや》かれてたが、「それはない」と明言した。「続投、都民への責務だ」と。それはそうだろう。ここで投げ出したら「男・石原」の美学に反する。安倍、福田と同じになる。あんな不様なことはできない。そう思っているんだろう。

東京オリンピックは一度やっている。あれで十分、恩恵を受けた。新幹線も、東名高速も、東京タワーも、それを目指してつくられた。東京オリンピックで日本も急成長した。そのおかげで、今の日本もある。もういいだろう。その恩恵を他の国に「おすそ分け」したらいい。それに、アジアではこの前、北京《ペキン》でやったばかりじゃないか。

オリンピックの五輪は五つの大陸を表している。世界が一つになり、五つの大陸で、平和の祭典をやろうというのだ。だったら、順番にやったらいい。でも、ユーラシア大陸、北米大陸ばっかりだ。オーストラリア大陸でも2回やったか。アフリカ大陸なんて一度もやってない。

今回、2016年五輪はブラジルのリオに決まった。南米大陸では初めてだ。おめでたい。いいことだ。それにしても、やっと南米だ。

もう一度言う。日本は、もういい。もう一度やる必然性がない。もし日本に決まっていても、2016年には石原さんは都知事ではない。でも「これを招致したのは石原だ」と名を残したかったのか。新銀行東京、築地市場移転……とエラー続きの都政において、それらをチャラにする快挙だと思い、狙ったのだろう。栄光に包まれての引退を考えていたのだろう。ところが茨の引退を余儀なくされた。

しかし、困るよな。ナショナリズムを持ち出されると、反対しづらい。「東京にオリンピックを！」と言われると、正面切って「反対」とは言えない。せっかく東京に招致しようと頑張ってるのに、その人々に申し訳ない。「反対」と言うと、日本に反対してるように思われる。「非国民！」「反日！」と罵倒されるんじゃないか、と脅《おび》える。僕も気が弱いから、大声で「反対」とは言えなかった。

それに、オリンピックだけじゃなく、スポーツ大会での「ナショナリズムの強要」。これも見苦しいと思うのだが、言えない。普段、国のことなんて考えてないタレントが動員されて、「頑張れ！　ニッポン」を大声で叫ぶ。「ニッポン、チャチャチャ」などとやる。日本が攻めてる時は大声で応援し、日本が攻められると、相手国にブーイングだ。また、相手の失点には拍手する。嫌な国民だ。ファインプレーならたとえ「敵」でも拍手してやれよ！　偏狭な国民だよ。こいつらは。

7年前、ロシアのハバロフスクにサンボ（ロシアの格闘技）を習いに行った。1週間、泊まり込みで練習する。5回ほど行った。ロシアの選手とも仲よしになる。最終日、〈日露戦〉が行われた。もちろん、ロシアの選手の方が圧倒的に強い。日本人は悲鳴に近い声で、日本人を応援している。僕だけがロシア人を応援して、皆から白い目で見られた。だって、そのロシア人は僕の仲よしだし、僕に毎日、教えてくれた選手だったからだ。毎日、一緒に練習し、仲よくなったのに、〈日露戦〉の時だけ、なぜナショナリズムで敵対させられるのか。おかしいと思った。

テレビのスポーツ中継が悪い。どんどんバラエティ化し、タレントを応援に出す。「日本人だから日本人を応援するのは当然」というムードを強要する。「愛国心」を押しつける。困ったことだ。どこを応援し、誰を応援しようと勝手じゃないか。

選挙は「出たい人より、出したい人を」だ。これには賛成だ。オリンピックも、そうしたらいい。「やりたい都市より、やってほしい都市を」だ。北米、ヨーロッパは、もういいよ。やるんなら、北朝鮮、ミャンマー、イラン、イラク、アフガンの都市でやってほしい。不安定な国でこそやったらいい。それでこそ、平和の祭典になる。お金がないのなら、先進国で全部負担したらいい。

　ピョンヤン五輪なんて夢があるじゃないか。日本が全部金を出してもいい。金《キム》総書記のプライドを満足させ、それで世界中の人がピョンヤンに集まり、競技する。世界一のマスゲームがあるし、入場式は凄《すご》いものになる。北朝鮮の得意な競技を大量に採用し、金メダルも取らせてあげたらいい。北朝鮮もガラリと変わるよ。いつまでも経済制裁をしてるよりは、ずっといい。「北風と太陽」だよ。少なくとも、やってみる価値はある。

　北朝鮮はやらないだろう、と言う人もいる。いや、そんなことはない。ソウル五輪の時は、共同開催を主張したじゃないか。単独開催させてやれよ。そして費用は全て日本が持てばいい。開会式には天皇陛下に行ってもらったらいい。世界平和を日々祈られてる天皇陛下だ。イデオロギーや、国の政体の違いなんか超えている。これは政治利用ではない。世界の平和のためだ。五輪誘致に皇太子さまに働いてもらおうと考えることが政治利用だ。

　オリンピックも、日本の国体のように順番にやったらいいんだ。まだやってない県はどこかな、と探してやる。やってない県はクジびきで決めるのかもしれない。そうだ。オリンピックこそクジびきで決めたらいい。五大陸を順番にやり、その中で開催したい都市をクジ引きで決める。アミダでもいいな。「日本方式」のクジで決めるのだ。貧しい国、政情不安定な国、閉鎖的な国は優先的にやったらいい。平和の使節団が大挙して行くのだ。国も変わる。国民も変わる。スポーツの力を十分に利用したらいい。

また、スポーツの闘いを通して、その国の意識や国民性も変えられると思う。戦争の悲惨さも虚《むな》しさも教えられる。どうしても戦争しかない、と思いつめてる国には、「じゃ、格闘技で決めよう」と別な方法を提示できる。将来はきっと、そうなるだろう。国家を背負って選手が闘うなんて、本当はよくないことだけれど、まあ、戦争よりはいい。また、戦争のない社会を目指す〈過程〉としては、あってもいい。

今、気がついたが、オリンピックの開催は国ではなく、都市なんだ。だったら、本来は「都市対抗戦」なんだ。東京と大阪が戦う。福岡と北京が戦う。大きな大きな都市対抗野球のようだし、国体のようでもある。世界の都市はいくつあるのか知らない。そこで一つひとつ、オリンピックをやってたら、東京に来るのはたぶん、1000年後だろう。もっと後か。その日を目指して、今から誘致をしてもいい。夢のある話じゃないか。

都市対抗なんだから、くだらないナショナリズムもなくなるだろう。「頑張れ！　ニッポン。チャチャチャ」なんていうくだらない意識を超えられる。ダブルスだって変わるさ。福岡と北京が組んで、東京・ニューヨーク組で戦うとか。仙台・ピョンヤン組とワシントン・サイゴン組が戦うとか。いいじゃないか、アナーキーで。今まで国家単位で「チャチャチャ」と応援していた旧世代の人間は戸惑うだろうけど、いいんだよ。そんな人間は置き去りにして。国から都市へ。そして人間へ。それこそオリンピックの本来の姿だよ。

5　僕を育ててくれた街、仙台

（第71回　２０１１年３月23日）

恐ろしい大災害だ。想像を絶する大震災だ。２週間前に北朝鮮から帰ってきたのに、とかそんなことは言っていられない。北朝鮮では緊張したし、寒かった。成田空港には、「北朝鮮には渡航しないように」と注意書きがあった。行くのに覚悟がいる国だ。大変だったな。それに比べ、日本はいいな。平和で安全だし。と思っていた時の大地震だ。そして津波、原発事故だ。日本の方が大変だ。北朝鮮のことなんて言っていられない。北朝鮮に行ったのは、もうずいぶんと昔のような気さえする。

僕は生まれも育ちも東北だ。だから、テレビで大震災の惨状を見ると胸がつぶれるようだ。悲惨で、痛々しくて、見ていられない。僕は、父親が税務署に勤めていたので、東北地方を転々とした。福島県郡山《こおりやま》市で生まれ、その後、福島市、会津若松市。そして青森県の黒石市に移った。しかし、赤ん坊の時なので記憶にない。その後、秋田県に移り、その頃からの記憶はある。

幼稚園と小学1年生が秋田県横手市。小学2年生から3年生が秋田市。小学4年生から中学2年生までが湯沢市だ。のんびりとした小・中学生生活を送った。テレビもない。自然と一体となった生活だった。100メートルほど離れたところに小川がある。夏はそこで泳いでいた。冬は、家の廊下でスキーを履き、そのままポンと外に出て、滑っていた。政治のことなんて知らなかった。日本に天皇がいることも知らなかった。でも、その頃が一番、日本人らしい生活をしていたような気がする。

後に政治運動をやるようになるが、日本とか祖国愛というと、いつも秋田県（特に湯沢市）の原風景が浮かび上がってくる。その時の原体験が「自分は日本人だ」という意識をつくったのだろう。運動家になってからも、殺伐とした闘いの日々の意識の裏に、おっとりとした「湯沢の原風景」があったようだ。激しい運動の現場から今は一歩退いている。だから、ポヨヨンとした、湯沢的なものだけが残ったようだ。

いや、こうも言える。あのまま湯沢にいたら、政治に目覚めることもなく、運動の世界に入ることもなかったろう。地元の高校に進み、秋田大学に行き、卒業後は湯沢に戻って市役所にでも勤め、同級生と結婚し、子供をつくり……。その方が、ずっと「愛国的」な生活だ。平凡だが典型的で、理想的な〈日本人〉像だ。

でも、そうはならなかった。教育熱心だった両親は、郷里の仙台に帰ることを決心する。父親は、もう税務署を辞めていた。税理士をしていたので、仙台で仕事をしようとする。何よりも、子供の教育のことを心配し、こんな田舎にいたら大学に行けない。そう思ったようだ。あるいは、のんびりとした子供が、どんどんのんびりしてしまい、〈自然〉と一体になってしまう。そのことを恐れたのかもしれない。

それで仙台に移り、僕は仙台市立第二中学校の3年に編入した。しかし、それは失敗だった。よかれと思ってやった親の決断だったが、子供には大変だった。カルチャー・ショックだった。勉強に全く、ついていけないのだ。湯沢では成績がいい方かなと思っていたが、仙台では、ついていけない。

自分の中ではパニックになっていた。それに、ボーッとした田舎の子供だから、よくいじめられた。湯沢では知らなかった「人間不信」を知った。受験勉強にも集中できず、二高を受験したが落ちた。仕方がなく、私立の東北学院榴ケ岡《つつじがおか》高校に入った。そこはミッションスクールで、とてつもなく厳しい学校だった。学校にはいつも反撥《はんぱつ》し、反抗していた。その反撥の中で〈右翼〉にも関心を持った。高校3年生の卒業間際に教師を殴って退学になる。こうなると、ただの不良高校生だ。しかし、1年間の懺悔《ざんげ》と教会通いの甲斐《かい》あってか、退学を取り消してもらい卒業できた。早稲田に入り、後は自由だ。無限の可能性がある、と喜んでいたが、全共闘に反撥して、右翼学生になる。それからは40年以上、右翼運動をやることになる。

だから、仙台での4年間の生活が自分の生活を変えた。性格も変えた。思想も変えた。いや、思想的人間にしたのだ。早稲田に入っても、時々は帰省していた。でも、何週間もいない。いや、1年近く、いたことがあった。左翼の運動がつぶれ、右翼の学生運動も内ゲバを繰り返していた頃だ。運動の世界から追放され、仙台の実家に帰った。1969年だ。本屋の店員をしながら、「俺もこれで終わりだ」と思っていた。

しかし、翌1970年3月に「よど号」ハイジャック事件があり、たった9人でも、こんな凄いことをできるのか。「敵ながら天晴《あっぱ》れだ」と感動した。その8カ月後には三島事件がある。それを契機に、昔の運動仲間が集まり、僕も運動の世界に戻ることになった。

今考えると、仙台は政治に目覚めた街だ。社会の矛盾に気づいた街だ。右翼を知り、自分の性格が変わった街だ。また、運動の内部闘争に敗れ、雌伏した街だ。その仙台が今、壊滅的な状況だ。両親はもういないが、兄貴がいるし、親類もいる。同級生もいる。兄や親類は幸い大丈夫だった。でも、あの地震の時は生きた心地がしなかったという。同級生たちはどうなっただろうか。心配だ。僕は仙台に行かなければ、政治運動に入ることもなかった。その意味で、運動家としての僕を生み、育ててくれた街だ。その仙台が大変なことになっている。

プロ野球のダルビッシュ（有）選手は仙台の東北高校出身だ。今の自分があるのは仙台のおかげだと、5000万円の義援金を出した。プロ野球選手ならば「自分がプレーし、そのことで被災者を励ましたい」と言うだろう。でも、それだけでは不十分だと思った。それだけ仙台の力は大きかった。僕も仙台によって育てられ、運動の世界に入った。仙台での体験があったので、今の僕ができた。恩返しを考えたい。東日本大震災に動転し、心が千々に乱れ、感傷的・回顧的な文章になってしまった。すみません。

6 「愛国心」は理性を狂わせる

（第106回　2012年8月22日）

サミュエル・ジョンソンは、「愛国心は、ならず者の最後の避難場所である」と言った。これを初めて聞いた時は、ひどい言葉だと思った。「愛国心」をからかい、貶《おとし》める言葉だと思った。だが、愛国心を持ってる人を全て「ならず者だ」と言ったわけではない。もちろん、立派な愛国者はいる。ただ、時として、愛国心は利用される。悪用される。その危険性を説いたのだろう。

また誰しも簡単に「愛国者」にはなれる。資格もないし、試験もない。届け出もいらない。「俺は愛国者だ」と言うだけでいい。サミュエル・ジョンソンが、どういう状況で、どういう時代背景でこの言葉を発したのか、よく分からない。私も調べているが、はっきりしない。この言葉だけが一人歩きしている。あるいは日本の右翼を思い起こす人もいるだろう。戦前の「国士」「壮士」と呼ばれる「愛国者たち」は、言論活動もしたが、かなり荒っぽいこともやった。

さらに戦後、自民党政権や警察は、「共産革命」を阻止するために、多くの人々、団体を集めた。特に60年安保の前だ。国会を取り巻く20万人のデモに対抗するために、20万の「愛国者」を集めようとした。アイゼンハワー大統領の訪日を実現するためにも、警察の守りだけでは足りない。民間人の「愛国者」を集めようとした。アイク訪日は実現しなかったが、「愛国者」の結集は行われた。

保守的な団体、保守的な宗教団体、さらに、ヤクザ、テキヤ……といった人々までが動員された。この時から、急激に「右翼団体」が増えた。街宣車も増えた。右翼の大親分たちが、ヤクザの親分たちに説いた。「小さなシマ（縄張り）を取った、取られたで命をかけるより、国のために命をかけようではないか」と。小さなシマではなく、大きなシマ（国家）に命をかけるのだ。それが愛国心だと説いたのだ。

ヤクザから足を洗って、本当に右翼に専念した人たちもいた。また、二足のワラジの人もいた。それに、ヤクザは人数が多いし、結束力が強かった。だから、右翼運動史の中でも、いろんな事件を起こし、活動をしている。「ヤクザ右翼」「任侠《にんきよう》右翼」と言われながらも、真面目に運動をしてきた人たちもいる。これは私も、長い運動体験の中で実感している。「ヤクザ右翼」と、白い目で見られることが多いから、かえって自制し、自ら厳しく律している団体も多い。

それに今や、暴対法、暴排条例によってヤクザは徹底的に追いつめられている。右翼団体をつくることもできない。それに取って替わった、といっては表現が悪いが、ネトウヨ（ネット右翼）が増え、大問題になっている。「ＳＡＰＩＯ」（8月22・29日号）では、特集が「ネトウヨ亡国論」だ。サミュエル・ジョンソンの言葉は、このネトウヨ現象にこそ、あてはまるだろう。もっとも、「ならず者」ではないかもしれないが、一人ひとりは、普通のよるべなき個人だ。それが「愛国心」でまとまると、何でもできると思い、暴走する。さらに、「よく言ってくれた！」とネットで絶賛する人も出る。テレビでも新聞でも紹介できない「差別的発言」をまき散らす。そして「抗議」し、自らネットで流す。

右翼の黒い街宣車だって、車をとめて演説するとなれば、言葉を選び、自分たちの「主張」を訴える。「こんなことは言うべきではない」という自制も働く。汚い言葉、差別的な言葉は使うまいとする。ところがネトウヨには、その自制がない。「主張」ではなく、「感情」の発露だ。聞くに堪えない言葉も口にする。

「ＳＡＰＩＯ」で、小林よしのりさんは、「お前たちは差別主義者だ」と断じていた。また、ネトウヨを取材して、『ネットと愛国』を書いた安田浩一さんは、こう言う。

〈ネトウヨとは何か？　これは若者たちがのめり込む「愛国という名の階級闘争」だ〉

つまり、愛国心を持った、善良な自分たちは、貧乏で、弱者だ。ところが、在日の人や、日本を危うくする連中は、いい思いをしている。これは許せない。「階級闘争だ」と、言うのだろう。

普通のサラリーマンやOL、フリーターといった「弱者」が、「愛国」という言葉を手に入れると、巨大ロボットに変身したようになる。自分が「日本」そのものになる。中国、ロシア、韓国、北朝鮮を許すな！　そんな国は攻めちゃえ！　と言う。自分は一人の弱い人間なのに、巨大なロボットになったと錯覚するのだ。愛国心は、そう錯覚させる力がある。魔力がある。

安田浩一さんは、ネトウヨの代表「在特会（在日特権を許さない市民の会）」を取材した。「在特会とは何ですか」と聞かれて、「それはあなたの隣人です」と答えている。どこにでもいる普通の人だ。それとともに、この隣人は、我々一人ひとりの心の中にもいる。何かあると「許せん！」と思い、（腹の中では）排外主義的な言葉を発してしまう。また、酒の席では、ついポロリと出てしまう。特に今年の夏は、それを刺激する〈事件〉が多かった。ロシア大統領が北方領土に上陸した。韓国大統領が竹島に上陸し、天皇陛下の謝罪を要求した。さらには香港《ホンコン》の活動家が尖閣《せんかく》に上陸した。「ふざけるな！」「許せない！」「政府は何をしてるんだ！」という声が充満している。日本中がネトウヨ化している。日本中が「最後の避難場所」を求めて、ならず者化しているのかもしれない。

他人のことは言えない。私自身もそうだ。愛国心の素晴らしさと同時に、その怖さも知ってるはずの自分でも、熱い感情に流される。野田総理は竹島に行け！　尖閣に行け！　と思う。そこで闘え。談判しろ。話し合いはその次だ、と思ってしまう。「総理は命をかけろ！」と言う石原慎太郎都知事の方が頼もしく思える。だから愛国心は怖い。理性を狂わせる。政治家の理性をも狂わせる。

だって、韓国の李明博《イミョンバク》大統領は、元々は理知的で、過去よりは将来を見つめる大統領だと思っていた。李大統領は２００８年の就任前から、「（日本に過去をめぐる）謝罪や反省は求めない」と言明。同年4月の訪日の際に、天皇、皇后両陛下と会見し、韓国訪問を直接招請した。

たぶん、この頃は、未来志向だったし、それだけ自信もあったのだろう。近い将来、韓国は経済的にも、文化的にも日本を追い越す。今度は日本が韓国をうらやむ番だ。そんな自信があったのだろう。そんな時、日本の過去をいつまでも言ってられない。そんな時間はない。そういう明るい前向きの闘志がみなぎっていたのだろう。

ところが、うまくいかない。さらに、実兄は逮捕されるし、大統領の基盤はガタガタだ。もう「死に体」だ。そこで一発、博打《ばくち》を打った。「愛国パフォーマンス」だ。竹島に上陸し、さらに、天皇陛下への謝罪要求だ。テレビや新聞によると、韓国国内でも「捨て身のパフォーマンスだ」「愛国心に訴えかけた賭けだ」と冷静に見てる人もいる。そう発言する自由もある。しかし、このパフォーマンスで、支持率が一挙に上がったという。この事実の方が恐ろしい。

愛国心は「ならず者の最後の避難場所」ではなく、今や「死に体」大統領の最後の避難場所になってしまった。また、他の国でも、民衆の不満を外に逸《そ》らす手段として、「愛国心」は使われている。

でも、本当に国を愛しているのか。違うだろう。「国を愛する」と言いながら、本当は自分の地位、あるいは自分の家族、仲間を守ろうとしているだけではないのか。自分を愛し、自分がかわいいだけではないのか。

民間人や、あるいは活動家という人々が愛国心を煽《あお》るのは、まだ分かる。しかし、一国の責任者たる大統領や首相は、それを抑制し、国と国との外交、世界の平和を考えるべきではないか。それが、将来的にはその国の国益にもつながる。

そうした大局的な見地がないならば、その国の責任者とはいえない。安易に「愛国心」を利用して、自分を守ろうとするのならば、それは大きな間違いだ。そんな気がする。

7 「偉い人」はつくられたのか？

（第149回　2014年4月23日）

僕らが小学校や中学校で習った「偉い人」は、皆、外国人だった。ワシントン、リンカーン、シュヴァイツァー、ナイチンゲール……と。これが戦後教育の典型かもしれない。当時は全く気づかなかったが。自分たちのまわりにはそんなに偉い人はいないけど、遠い世界には凄い人がいるんだ、と思った。でも、戦中・戦前だったら、こんなことは教えない。外国人なんか出てこない。「偉い人」は日本の政治家であり、軍人だったりする。

そして今、「日本を取り戻そう」ということなのか、歴史や道徳の教科書に、偉い日本人を大量に登場させようとしている。二宮金次郎、野口英世……。さらに、イチロー、高橋尚子《なおこ》までいる。今、生きているスポーツ選手までが「道徳」の教科書に載るなんて、本人たちだって複雑な思いだろう。

「偉い日本人」を無理に探し出してきて、「これこそ代表的日本人だ」「この人たちに続け」と、愛国心を鼓舞するつもりなのか。どうも、やってることが内向きだ。日本の偉人をたくさん知り、「日本人の自覚」を深める。日本に生まれたことを幸せに思い、日本人に誇りを持たせる。そういうことだろう。小さいうちから、それを教える。

〈小学3・4年生用の教材では、「伝とう文化を大切に」というテーマで、和服、和食、和室、風呂敷などについて写真付きで説明〉（「産経新聞」2月15日）

日本のよさを発見し、日本の歴史を見直すのだろう。

〈「他にどのような日本の伝とうや文化がありますか」と問いかけている〉

子供たちにも、どんどん「発見」させようとする。でも、日本のいい面だけを教えていっていいのだろうかと不安になった。日本は素晴らしい、日本の自然も、食べ物も、着物も、美術品も素晴らしい……と。それだけを教えていいのだろうか。知らず知らずのうちに、日本の歴史に間違いはない、いい国だ……と思ってしまう。こんな素晴らしい国に生まれて幸せだ。それに比べて、まわりの国は何だ、と批判もするだろう。ちょっと心配だ。

日本はいい国だ。しかし、失敗だってしたし、反省するところもある。日本の伝統・文化だって素晴らしいものもあるが、「野蛮だ」といって捨てられたものもある。おはぐろ、チョンマゲ、切腹、あだ討ち……などは、長い間、日本に続いたものだ。文化・伝統だろう。しかし、明治になって西欧化の中で、消えた。外国人の進言もあったのだろう。「こんなことをしていたら世界から野蛮国と思われますよ」「世界の流れについていけませんよ」と。それで、これらの文化・伝統を捨てた。この時、「外国からとやかく言われることではない」「圧力には屈しない」といって頑固に伝統・文化を守っていたら、その後の日本はない。

歴史だってそうだ。失敗はたくさんする。それにはキチンと向き合い反省したらいい。戦争も従軍慰安婦も、南京大虐殺も。強制連行も。「いや、そんなことはやってない」「少しはやったとしても、他国も皆やってることだ」と強弁するのは見苦しい。日本のよさばかりを「道徳」で教えていたら、そんな傲慢な人間になるのではないか。

それに「偉人」だけを教えるのも、いいのかなと思う。「偉人」は遠くにいていいのではないか。僕たちが戦後教育の中で習ったように、ガンジー、シュヴァイツァー……のように。はるか遠い外国に、そんな偉い人がいた、と教えるだけでいいだろう。今、生きているスポーツ選手などが教科書に載り、でも、いつかスキャンダル報道など出たら、どうするのか。それは十分ありえる話だ。

「亡くなった人は、もうスキャンダルを起こせないし、安心だ」という人もいるだろう。でも、亡くなった人でもスキャンダルを起こせる。「実はこんな人だった」「こんなひどい側面があった」と、書かれることがある。

小学校5・6年用の「私たちの道徳」にはイチロー、野口英世、坂本龍馬が入るそうだ。僕らのちょっと下の世代の人には「龍」の名前の入った人が多い。龍馬、龍二、龍……と。坂本龍馬は「偉人」だったのだ。今年のはじめだったか新聞を見て驚いた。「坂本龍馬容疑者」と出ていた。同姓同名の人物だが、女性にふられて、腹いせに女性の裸の写真をネットに流したという。「リベンジ・ポルノ」というらしい。それで逮捕された。本人も悪いが、親が悪い、と思った。両親は「龍馬のような男になれ」という思いを込めてつけたのだろう。しかし、同姓同名だったら誇らしいと思うよりもむしろ、プレッシャーになるし、嫌だったろう。友人や学校の先生に、ひやかされたことも多かっただろう。道徳の教科書に載せたら、さらに「龍馬」は増えるだろう。そして、プレッシャーゆえの不幸も増えるだろう。

もう一人、野口英世だ。この人も、文句なしの偉い人だと思った。僕らの時代は、別に「道徳」の時間はないが、歴史に出てくる、こんな偉い人がいるのか、と思った。

それから何十年か経《た》って、本屋で野口英世の本を見つけて、衝動的に買った。渡辺淳一の『遠き落日』（角川文庫）だった。平成4年で18版だから、かなり売れている。学校の授業で、「日本の偉人」として習った。それが懐かしいし、もっと詳しく知りたいと思って買うのだろう。上下2巻ある。上巻の本の帯には、こんな文章がある。

〈人間・野口英世の破天荒な魅力と生命力にあふれる半生を赤裸に描く力作〉

言葉はきれいだが、本当の野口英世はどうだったか。キチンと書いてやる、という覚悟を感じる。神のような「偉人」ではなく、「人間」として書く。「破天荒」「赤裸」……とくると、我々の習った野口英世とは違っているのかなと思う。

作者の渡辺淳一は作家であり医者だ。実によく調べて書いている。それに医者だから、医者の野口に対してはかなり厳しい。凄い人だったんだ、偉い人だったんだと僕らはただ崇《あが》めているが、「果たして、言われるほどの凄いことなのか」と渡辺は言う。また、小さい時に大怪我《おおけが》をして手が不自由だった。それにもめげず、頑張って勉強した。アメリカに留学し、苦労して研究を続け……と僕らは習った。ところが、この本では「人間」野口英世のことが赤裸に描かれている。借金の天才であり、自らの大怪我も、その口実に使った。借金をして、女遊びに使った。また、留学する時でも、「帰ってきたら結婚する」と約束して、女性の家から大金を出させ、その後、破談にしている。極端にいうと結婚詐欺のようだ。読んでいて、嫌な気分になった。

身近な人たちは皆、知っていたのだろう。しかし、マスコミも週刊誌もネットもなかったから、一般的には「偉人」として伝えられた。今ならば、スキャンダルだけでつぶされただろう。偉人「野口英世」は生まれなかっただろう。だから、わざわざ近くの日本人の中に無理に「偉人」を見つけて、「それに習え」「続け」という必要はないだろう。坂本龍馬だって、土佐の郷土史家や司馬遼太郎によって「つくられた」という人もいる。その部分も大きいだろう。それらの人々を教え、「日本人の自覚」をわざわざ教えることもないだろう。歴史は謙虚に淡々と教えたらいい。

8　8月15日、靖国神社の光景

（第157回　2014年8月20日）

8月15日（金）、靖国神社に行った。騒々しかった。閉口した。戦争で亡くなった人々を静かに慰霊する、といった雰囲気ではない。これでは、戦争で亡くなった人がかわいそうではないか。そうも思った。

「右傾化の時代」と言われるせいか、人は多い。去年よりもさらに多い。地下鉄九段下駅を降りて、靖国神社まで普段は5分もかからないのに、この日は30分以上もかかる。人、人、人で身動きができない。それに、道の両側に、ビッチリと「店」が並んでいる。店といっても食べ物やみやげ物を売ってる店ではない。いわば「思想」を売っている店だ。いや、自分たちの「主張」を売っている店だ。「中国・韓国は許せない。10倍返しだ！」「歴史教科書はおかしい。変えろ！」「全ては憲法のせいだ！　改正しよう！　署名をお願いします」……と。

それでなくとも道は狭いし、人が多いのに、両側から叫ばれ、署名を求められる。大きなパネルも並べられている。皆、自分たちの主張を大声で言う。絶叫している。毎年、見慣れた光景だが、今年は特に多いし、特に騒々しい。やっとの思いで、信号のところまで来た。信号を渡ると靖国神社の大鳥居だ。その時、ギョッとする光景に出会った。女性が声を張り上げて、朝日新聞を攻撃していた。慰安婦問題で嘘ばかり書いている朝日は廃刊にすべきだ、と。「朝日は、そんなに日本が憎いのですか!」と。

まあ、言論・思想の自由だから何を言ってもいいだろう。でも、「南京大虐殺はなかった」「従軍慰安婦はなかった」……と、エスカレートする。「戦争中に虐殺したり、レイプしたりする兵隊は1人もいなかった。ましてや慰安所などなかった」。そして、こう言ったのだ、「日本兵は世界で一番、道徳的な兵隊です!」。

えっ、そこまで言うのかよ、と思った。そのうち「戦争で1人も殺さなかった」「1発の弾も撃たなかった」と言うんじゃないか、とまで思った。「戦争もやってない。嘘だ!」とも言いかねない。まさか、そこまでは言わないだろうが、「日本兵は世界で一番道徳的な兵隊です!」の叫びは、ずっと耳に残っていた。でも、愚かだ、歴史を知らない、と切り捨てる気にはなれなかった。だって昔は、僕もそう思っていたからだ。

右翼学生だった頃だから、45年以上も前だ。純粋な愛国学生だった。日本の兵隊たちは皆、愛国心で戦った、倫理的、道徳的な兵隊だと思っていた。「神兵」だと思っていた。それなのに南京大虐殺や従軍慰安婦などと左翼は騒いでいる。左翼マスコミも騒いでいる。こいつらは許せないと思った。国のために戦った人たちがそんなことをするはずがない。英霊を冒瀆《ぼうとく》する奴らは許せない、と思っていた。左翼が強かったからこそ、僕らは反撥して、かえって日本の兵隊を理想化したのかもしれない。

学生時代の、そんな体験だけで終わったら、今でも「神兵説」を信じていたかもしれない。観念の中だけで、「日本兵には悪いことをした人は1人もいない」「世界一道徳心の高い兵隊だった」と信じていたかもしれない。あるいは、その方が幸せだったのかもしれない。

学生時代は、右翼といってもアマチュアだ。卒業したら終わるという人が多い。でも僕は、その後本物の右翼の世界に入り、そして40年以上運動をやった。ちょっと長すぎたとは思うが、学んだことは多い。純粋に国を愛し、この国をよくしようと思ってる人が多い。でも、サラリーマンをやって、その余暇に運動をやるだけではダメだ。朝から晩まで、毎日運動をしたい。でも働いて金を得る時間はない。だから、カンパを求める。少しは強引に。時には法律に触れるような方法でカンパを求める。それも仕方ない、日本を救うためだから、と思う。俺たちは国のために命をかけてるのに、一般のサラリーマンは国のことを考えず、自分のことしか考えない。だから、こんな連中から金を取っても当然だ……と考える人も出る。運動に熱中すればするほど、そういう極論に走りがちだ。

僕らとは対極にいた赤軍派の人たちは、「資金獲得」のために銀行・郵便局強盗をやった。「これは元々、人民の金だ。我々は人民のために革命をやるんだ。だから、ここの金は自分たちの金だ」。そう思ったらしい。いや、そう自分に信じ込ませて、この資金奪取をやったようだ。真面目だし、私心はない。でも、強盗は強盗だ。

愛や善意や正義感からも、人は思いつめて罪をおかすことがあるんだ、と思った。「そうか、日本兵だって同じことはあっただろう」と思った。「世界一道徳的な兵隊」だといっても、これと同じことはあっただろうと思った。人間なんだし、「神兵」で最後まで通すことは難しい。

大鳥居をくぐって、靖国神社に入ると、広々としていた。しかし、奇妙なことに気がついた。やたらと「軍人」が多い。本物の軍人ではない。軍人の格好をした人たちだ。珍しがって見に来る人たちと記念撮影をしている。また、大きな輪をつくって、皆で軍歌を歌っている。その時、ザックザックと玉砂利を踏む音がする。20人ほどの軍人が銃を持って行進している。沿道の人々は群がって写真を撮っている。外国のカメラマンもいる。これが外国に紹介されたら、「また日本は戦争をしようとしている」と思われるのだろう。「8月15日だけの光景」なのだろうが、外国の人たちはそうは思わない。日本では改憲の動きがあるし、集団的自衛権もあるし、ヘイトスピーチデモもある。〈一連の流れ〉と思われるだろう。また、書店に行くと、反韓・反中の排外的な本ばかりが並んでいる。どんどん誤解される。「いや、誤解されてもいい。これが愛国心だ」と居直る人々も多い。「にわか愛国者」が急増し、冷静な議論が成り立たない。

夜、ロフトプラスワンに行った。毎年8月15日は、高須基仁《もとじ》さんが中心になって「終戦を考えるトーク」をやっている。反戦派・護憲派の人をゲストに、「戦争よりは平和だ」と訴えている。でも、最近は勢いがない。左翼、反戦派・護憲派はもう絶滅危惧種なのかもしれない。「国のためなら戦え！」「中国・韓国なんか、やっちまえ！」という発言の方が目立つ。戦争体験者もいなくなるし、証言する人もいなくなる。反対に、体験したことがないのに、観念だけで「戦争はかっこいい！」「戦え！」と絶叫する人々ばかりが増えてきた。劣勢だけど、頑張りましょう、マガ9も！

9 「闘う」のはそんなにカッコいいのか

（第204回 2016年8月17日）

8月15日（月）、夜、新宿のロフトプラスワンに行ってきた。毎年、この日に高須基仁プロデュースとして「終戦記念日イベント」をやっている。もう15年以上も続いている。塩見孝也、三上治……といった元新左翼の幹部たちと右翼をぶつけて左右激突をやったこともある。僕も何度か出たし、その頃は人も多かった。ところが最近は左もいないし右もいない。右はネトウヨか保守派になってしまった。だから最近は高須さんの出版記念会をやったり、関係する平和・戦争関係の映画の紹介などをやっている。「右左激突」はなく、やけに文化的になっている。客はかつての10分の1だ。でも、僕はこの方が好きだ。

この日はテレビ番組『フィンランドで見つけたBUSHIDO～新渡戸稲造と平和の島～』（BSフジで8月20日午後2時から放送）。その予告編の上映と番組の案内役を務めた女優の松本莉緒《りお》さんがゲストで登場し、「フィンランドと新渡戸」について話した。

新渡戸は、著書『武士道』が有名で、全世界で翻訳され読まれている。と同時に、キリスト教徒として世界平和のために尽くした人だ。国際連盟事務局次長を務めて、太平洋のかけ橋になろうとしたし、世界中に日本を理解してもらえるよう努力した。宗教を持たない日本で、なぜ、やってこられたのか。欧米の人々の疑問に答えた本が『武士道』（岩波文庫）だ。だから西欧の学者の引用が多いし、キリスト教的な説明も多い。武士だけでなく、一般の人々も「武士道的な精神」を持ち、それが人々の倫理・道徳になっていた、と新渡戸は言う。

武士道研究をし、武士的、戦闘的な人間のように、新渡戸は思われることがあるが、台湾で経済活動に力を尽くしたり、フィンランドでは多くの島々の「領有権」紛争を調停している。

この8月15日、日本では、韓国の議員団が竹島に上陸したとテレビで報道されていた。尖閣諸島でも、連日、中国船が押しかけ、「領有権主張」だ。それに対し、日本は島の問題には、たとえ1ミリであろうとも譲らない。そう言っている。１００年前のフィンランドもそうだった。スペインと領有権でもめていた島々がある。それを国連に提訴し、新渡戸に担当させたのだ。今なら、誰もやりたがらない。必ずどこかから憎まれる。しかし新渡戸はそれをやり「新渡戸裁定」と呼ばれた。これは凄いことだ。どのようにして１００年前のこの裁定ができたのか。また、今、新渡戸がこの日本にいたら、尖閣・竹島問題をどう裁定するのか。中国、韓国を相手にどうやって解決するのか。そんなことを考えてしまった。

新渡戸のことをもっと勉強してみようと思った。このテレビを撮影し、つくったのは岩手めんこいテレビの工藤哲人さんだ。案内人として主演した松本莉緒さんも来てたので、僕も質問して聞いた。今でもフィンランドの人々は、新渡戸裁定に感謝し、その後、１００年の平和は新渡戸のおかげだと言っている。僕も行きたくなった。今、最も必要とされる人だ。「そんな人は今いませんか」と聞いたら、東大、京大の先生の名前を何人か挙げる。でも今の日本は「闘う人」が好きなんだ。「俺は中国と闘ってるぞ！」「韓国なんか、やっつけろ！」と怒鳴る人がウケている。「そうだ、そうだ！」と拍手する国民も多い。今、新渡戸が生きていたら、人気はないし批判されるだろう。「中国、韓国と話し合うなんて、売国奴だ！」と言われるかもしれない。

10 「日本第一」にだまされるな

（第215回　2017年1月25日）

２０１７年はまだ始まったばかりなのに、やけに騒々しい。国内もそうだが、世界中がうるさい。アメリカのトランプ大統領の派手な言動に世界中が巻き込まれ、戦々恐々だ。ヘイトスピーチも日本の比じゃない。「中国人は嫌い、朝鮮人は死ね」と言ってデモをしている日本のヘイトスピーチとは違う。トランプは実行力がある。権力がある。「アメリカ一番」の力を持っている人間だけに怖い。普通、あそこまで権力の座にのぼりつめたら、（格好だけでも）謙虚なフリをする。その方が得策だろう。そう教える人はいないのか。いたとしても、そんな意見は聞かないのだろう。新聞だって、あまり読んでいない様子だし。

記者会見の時は、ビックリした。手を挙げている記者に向かって「お前には質問させない」「お前のところは嘘ばかり書く」と批判する。いや、これは暴言だ。自分の国のマスコミを相手に、こんなに熱くなってけんかしている大統領なんて、アメリカ初だろう。いや、「世界初」だろう。

日本でも、昔こんなことをした首相がいたな、と思い出した。佐藤栄作首相だ。辞める時の記者会見で、「新聞記者は全員出て行ってください」と言った。じゃ、記者会見は成り立たない。いや、テレビ局が残ればいい。そう言うのだ。新聞はそのまま書くわけではない。自分の意見・考えを入れて書く。それが皆、批判ばかりだと首相は言う。じゃ、テレビだけにしたらいい。自分の言っていることがそのまま伝わる。

しかし、こんな「厚遇」「えこひいき」をされて、テレビはうれしかったのだろうか。「新聞とは違い、我々テレビは客観的であり、平等だと認識されたのだ」と思ったのか。しかし、そんな人はいなかったと思う。何かやましさを感じたのではないか。「我々テレビだけが評価され、新聞は全て罵倒されている。これはおかしい」と思ったはずだ。だから、「そんなことはおかしい。我々も良心に従って行動しよう」と言い、会場の外に出た。カメラのみが残って、人間はいない。無人の状態で佐藤首相は喋った。

この時は首相が辞める会見をしたのだ。もうこれで終わりだ。最後に、自分を批判していた新聞のことを批判しよう。どうせもう辞めるんだし、後のことを心配することはない。いくら批判されても平気だ、というヤケッぱちな気持ちだったのだろう。でも日本の新聞、テレビはしっかりしていた。骨がある。

ところが、トランプはこれからの大統領だ。そんな時によくやったもんだ。「これで終わってもいい。もうどうなってもいい」という佐藤首相とは違う。これは不思議だ。じゃ、何をやっても大丈夫、国民は自分を支持してくれる、という自信があったからか。でも、支持率は歴代大統領では最低だという。また、外では反トランプのデモが過激に行われている。そんなに嫌だったら、なぜ選挙で落とさなかったのか。それも納得がいかない。日本の保守派の新聞を見ていたら、「日本も〝日本第一〟でいけ！」と書いていた。くだらない。そんなことしか言えないのかと思う。今年は正月から暗い。

一時の勢いでEU脱退を決めたイギリスも、「アメリカ第一」と浮かれるトランプを選んだアメリカも、今は反省しているのだろう。しまった、もっとまともな選択もあったのに……と。今頃、後悔しても遅い。日本もそうならないように、一人ひとりがじっくり考えなくてはダメだ。一時の勢いや気持ちのいいスローガンにだまされてはダメだ。

第二章　憲法

1 「明治憲法復元改正論」を唱えていた40年前　（第3回　2008年7月2日）

タイムスリップしたのかと思った。懐かしかった。だから、すぐに買った。買わなかったら夢は醒める。現実に引き戻されてしまう。そう思った。

高田馬場の書店で、菅原裕《ゆたか》先生の『新装版　日本国憲法失効論』（国書刊行会）に出会ったのだ。「あっ、先生！」と思わず叫んでしまった。この本は、昭和36（1961）年11月10日に初版が出ている。47年前だ。僕は高校3年生だったが、買って貪り読んだ。そして大学で左翼学生と論争する時は、この本が強力な〈武器〉になった。

菅原先生の講演はずいぶんと聞いたし、個人的にも教えてもらい、お世話になった。47年ぶりにこの本が復刊されたのはうれしい。巻末を見たら、先生の『東京裁判の正体』（国際倫理調査会）も復刊されたと出ていた。菅原先生は東京裁判で元陸軍大将・荒木貞夫の弁護人を務めた。東京裁判の話も学生時代によく聞いた。勝者による敗者への復讐《ふくしゅう》であり、「裁判」とは呼べない。明らかな国際法違反だと話していた。

先生は東京弁護士会会長、法曹政治連盟副理事長などを務めた。その先生の憲法論だったから説得力があった。先生は昭和54（1979）年に亡くなられた。

さて、先生の『日本国憲法失効論』だ。「失効論」と聞いても、今の人にはピンとこないだろう。でも当時は、かなり知られていたし、それに基づいた〈運動〉もあった。この本の「序」で、失効論の真意をこう言っている。

〈自民党の考えているような、占領憲法を是認して、ただ第九条その他を改正するだけで糊塗《こと》するのではなく、普遍的法理に従って、根本的に占領管理法にすぎない日本国憲法の失効を確定し、わが国固有の正統憲法の復活を宣言し、国家の礎を確立し、よってもって、静かに祖国の復興を念願している大多数の日本国民の期待にこたうべきであろう〉

「正統憲法」って何だ？　と思われるだろう。大日本帝国憲法（明治憲法）のことだ。これだけが、日本人が自分の手でつくった正統憲法だという。占領中にアメリカに押しつけられたものは、単なる「占領管理法」で、「憲法」としては認められない、と言うのだ。これは「ニセモノ」だと国会で宣言すればいい。そして、明治憲法に復元し、それを基に一部改憲でも全面改憲でもやればいい。そう主張していた。

「明治憲法復元改正論」を唱える人は他にもいた。井上孚麿《たかまろ》さんという学者。また、大学の教授でも何人かいた。さらに「生長の家」の谷口雅春先生がいた。「生長の家」は、宗教団体ではあるが、愛国運動にも熱心だった。僕は高校、大学とそこの学生部に所属し、この「復元改正」運動をしていた。また、右翼の重鎮・中村武彦先生たちが中心になり「復憲運動」というものがあった。この「復憲運動」はかなり活発で、地方運動もしていた。岡山県の奈義町《なぎちょう》では何と、町議会で「明治憲法復元」を決議した。その町だけが明治時代にタイムスリップしたようだ。「快挙だ！」と仲間は言っていたが、新聞の扱いは冷たく、「何と時代錯誤なことを」と批判していた。「恥ずかしい。こんな町には住みたくない」と言う住民の言葉も紹介されていた。

よくこんな話を聞かされた。「今は冬だ。雪が積もっている。雪がマッカーサー憲法だ。しかし春になれば、雪が溶ける。地面が現れる。その地面が明治憲法だ」と。季節が変わるように、黙っていても当然、明治憲法に復元されると言う。「革命は歴史的必然だ」と言ったマルクスと似ていると思った。力を入れなくとも、自然にそうなると言う。

「いや、失効した後は明治憲法に復元するのではなく、全く新しい憲法をつくるべきだ」と主張する人もいた。自主憲法制定論だ。僕は理論的には「明治憲法復元改正論」が一番正しいと思った。

次はこの「自主憲法制定論」だ。「復元改正論」も「自主憲法制定論」も、今の憲法（「マッカーサー憲法」と言った）を認めない。だから、この憲法に基づいて、これを改正するなんて「敗北主義だ」と批判していた。９条やその他を改正するということは、他の99％を認めることだ。マッカーサー憲法、占領管理法を「追認」することだ、と言われた。こんな「改憲論者」は「護憲論者」よりも悪質であり〈敵〉だ、と言われた。いや、僕自身もそう言っていたし、「復元改正論」の立場で学園や街頭で訴え、デモをやった。

ある日、「復元改正論」の大学教授に呼ばれた。激しい先生で、「改正論者」を罵倒する。「あいつらさえ邪魔しなければ、復元改正は今すぐにでもできるのだ」と言う。馬鹿なと思った。「改正論者」だって「復元改正論」に対しそう思っている。心の狭い人たちだと失望した。この場合、「護憲派」ははじめから敵ではない。現憲法改正か、明治憲法復元かの小さな争いに命をかけている。そんな人もいて、嫌になった。

「改めよう」「元に戻そう」という運動はどうしても攻撃的になるのかもしれない。その点、護憲論の「守る」という心情は、優しく、寛容的になるのだろう。今、改めてそう思う。その証拠に「マガジン９条」では、僕のような異端者も受け入れている。ありがたい。

40年前の話だ。「復憲論（復元改正論）」と「改憲論」の板挟みになり、学生の身でありながら、何とか仲よくさせようとした。「敵を間違えてはならない」と僕は言った。今、圧倒的に強いのは「護憲派」だ。これを揺さぶり、突き崩す者は全て味方だ。まずこの憲法に疑問を持ち、改めようという〈運動〉を大きくすることだ。その運動が勝利し「よし、改めよう」となったら、次の段階でその「改め方」をめぐって論争したらいい。復憲、自主憲、改正と。それは（大きな意味で）「改憲」運動をやりましょう。内輪モメはやめましょう……と。いわば二段階革命論だ。

これには賛同してくれる人も多かった。僕の力だけではないが、これ以降、内輪モメはなくなった。それに皆、どこか諦めもあったのだろう。「護憲勢力は圧倒的に強いし、憲法を改める時代なんかこないだろう。夢のまた夢の世界だ。その次元で小さな争いをやっても意味はない」と。

しかし、夢は実現した。「改憲」の声が多くなった。第一段革命は成功した。と同時に、僕が目論《もくろ》んだ第二段革命の夢も潰《つい》えた。「明治憲法復元改正論」「自主憲法制定論」はどこかに吹き飛んだ。消滅した。残ったのは現状を追認し、さらにアメリカに追従する「9条改正論」だけだ。40年前の〈調停〉が間違っていたのかもしれない。また、護憲論者にとっての「面白い敵」をつぶしてしまった。申し訳ない。全ては僕のせいだ。僕が悪かったのだ。

2　護《まも》るか？　変えるか？　憲法1条から8条まで　（第4回　2008年7月16日）

「憲法の中に、ポッカリと大きな穴があくんです。空白地帯が生まれるんですよ」と、その大学教授は言う。「護憲とか改憲とかいう議論は意味をなさなくなります」と言う。うーん、いつかは起きるかもしれない。「いや、必ず起きます。それも近い将来です」と言う。僕だって考えたことのない話だ。考えたくない話だ。過激・不穏な発言だ。だからこの教授の名前を出すのはやめよう。しかし今でも、どう考えていいか分からない。

天皇制の話をしていた時だった。男系か女系かという話になった。教授は突然言った。「そんな話じゃありません。近い将来、天皇になる人はいなくなります。天皇制は自然崩壊するんです」と。馬鹿な、と思った。「そうしたら、天皇はいないのに憲法には天皇条項がある。大いなる矛盾だ。さあ、どうするんです」と迫る。

「そんなことはあるわけがない！」と、過激な右翼なら殴りつけるだろう。でも僕は軟弱な右翼だから、答えに詰まった。そして、あえてこの危ない仮定話に乗って、話を進めた。

秋篠宮《あきしののみや》家に男の子が一人生まれた。これで万々歳とは言えない。女の子は皆、結婚したら民間人になる。教授は言う。「これは十分にありうる話です。天皇がいなくなったら、もう

〝日本〟ではなくなるんですか」と言う。

護憲派としても困る。1条から8条までが突如としてなくなるのだ。この現実を認めて、仕方なく「改憲」作業をするのか。

いや、それではダメだ、と言う純粋な護憲派もいるだろう。「改憲はどんなことがあってもダメだ。そのためには、天皇制は残ってもらわなくてはならない」と言うに違いない。こうなると、天皇制を最後に護るのは護憲派になる。「この憲法を一番護っているのは天皇陛下だし」と言うだろう。護憲派こそが、最も天皇に忠であり、「尊皇の士」である。そうなる。

今、週刊誌では皇室に対し、皆、勝手なことを言っている。批判している。かわいそうだ。「だったら、しばらく天皇制を休んでもらってもいい」と考える右翼が現れるかもしれない。日本の長い歴史の中では、国民から忘れられて、ひっそりと暮らしていた時代もあった。南北朝のように争った時代もあった。大変な仕事を押しつけておきながら、文句ばっかり言う今の国民。こんな愚かな国民に、天皇制はもったいない。憲法からも取って、しばしお休みしていただいたらいい。そう考える「忠義の士」だって出るはずだ。

教授の話に触発されて僕まで危険なことを考えているのか。でも、今のまま、週刊誌のネタにされるのでは、「おかわいそうに」「もう解放してあげたらいいのに」と思う人も出る。「雅子さまは離婚する自由もあっていい」と考える人もいる。本当に、おいたわしい。

「いや、それでも天皇制はこのまま続けるべきだ」と純粋な護憲派は言うのだろう。護憲のためには天皇制は崩壊してもらっては困る、そう言うのだろう。

僕は天皇制は不滅だと思う。こんな日本に、いてくださるだけで尊いし、ありがたいと思う。政治にはタッチしない。文化・伝統の象徴だ。だから、次は誰を天皇にするか、どこに行かれるかなど、全て自由にしてもらいたい。天皇が決めたらいい。国民の側から、こうしろ、ああしろと文句を言い、注文をつけることではない。

だから（ここから過激な発言になるが）、憲法から外してもいい。1条から8条を取る。だって、憲法のある日本なんて、明治憲法から含めても100年ちょっとだ。3000年の歴史の中ではほんの短い時間だ。その前は、憲法などという「窮屈な規則」に縛られていなかった。もっと自由で、アナーキーだった。

昔、大前研一さんと話したら、彼もそう言っていた。「皇室が必要だと国民誰もが認めている。だから、憲法で書いて、その中に閉じ込めてはかわいそうだ」と言う。うん、そうだろう。「憲法で書いておかないと不安だ」などと思うのは、かえって皇室を信じてない。不忠なのだろう。

憲法で縛りつけるなんて、不忠だし不敬だ。江戸時代の「禁中並びに公家諸法度」のようなものだ。天皇や公家に対し、あれをするな、これをするなと文句をつけたものだ。

1条から8条までの天皇条項を取る、ということは右からも左からも考えられている。護憲派の労働組合の手帳には、よく憲法が書かれている。しかし、前文の次は（略）で、いきなり9条になる。そういうのが多い。意識の中では、勝手に「改憲」しているのだ。

それではいけない、と純粋な護憲派は怒るだろう。「キチンと1条から8条までも書け！護れ！」と。

1条から8条までは取ってもいいと僕は思う。天皇は憲法なんかに規定しなくていい。でも、そうしたら自然となくなると思う人もいる。いや、その前になくなるという教授のような考えもある。僕は、逆に心配する。憲法から解き放たれた天皇制は突如として、強大なものになるかもしれない。天に昇る龍になるかもしれない。だって、民間人だったら、選挙にも出られる。この人を立てて、と思う人もドッと増える。お金だっていくらでも集まる。明治の天皇制よりも、もっと強大なものになるかもしれない。

「そうなる怖さはありますね」と林信吾さん（軍事評論家）は言っていた。『超日本国憲法』（講談社）の中で対談した時だ。「そのために、憲法でひとこと、触れる必要はあるでしょう。そうですね。他は全部取って、1条だけ残したらどうですか」と林さんは言う。

第1条はこうだ。「天皇は、日本国の象徴であり日本国民統合の象徴であつて、この地位は、主権の存する日本国民の総意に基く」。

うん、これだけでいいだろう。その方が、スッキリする。「主権の存する日本国民」が総意でお願いしているのだ。天皇に、この重大な、大変なお仕事をやってくださいとお願いしている。その事実をはっきりと確認する。それが第1条だ。それだけでいい。もし、天皇制はいらないとなったら「総意」で変えたらいい。改憲するか、あるいは国民投票で「総意」を問えばいい。

でも、1条だけでいいという林さんと僕の提案に対し、純粋な護憲派は怒るんだろうな。1条から8条まで、大切にし、書かれた条文全体を護れ！ と言われるだろう。

3　憲法9条は、戦争放棄と戦争箒《ほうき》をうたっている　（第18回　2009年2月4日）

「週刊文春」（1月29日号）で上杉隆《たかし》、佐藤優《まさる》、荻原《おぎわら》博子の三氏が「徹底討論」している。「麻生《あそう》自民はこれだけ日本をダメにした」という題で。荻原さんが「首相の言ってることはコロコロ変わる」「ブレてる」と批判すると、佐藤氏はこう言うのだ。いや首相も官僚も「自己保身」という観点からは一貫している、と。彼らの行動原理を理解するには、猫を研究したらいい、と。

〈猫は善悪の基準ではなく、快・不快で動きます。不快な選択は極力避けて、気持ちのいい選択をする。それに自己保身という基準が合わさると、普通の人からすると理解できない矛盾した行動になるのですが、本人の中では一貫しているんです〉

そうか。首相も官僚も、人間ではなく、もう猫なのだ。この地球の支配権は人類から猫に移ると予言した人がいたが、もうすでに人間の上層部は「猫」化しているのだ。では、なぜ佐藤氏がそんなことを理解できるのか。それは佐藤氏も「猫」派だからだ。佐藤氏は月刊「ＷｉＬＬ」で「猫はなんでも知っている」という連載エッセイを持っている。猫派だ。だから、講演会で「私は右翼です」と挨拶するのに、「９条は大切です。守らなければなりません」と言う。

猫派だからだ。猫が言わせているのだ。

でも麻生や官僚は猫派か。9条派か。そうとは言えない。ただ、猫の行動原理を学んでいるだけだ。地球の「次の御主人様」に無意識に臣従しようとしているだけだ。

TSUTAYAに行って『天地創造』のDVDを借りて来て、見た。「ノアの方舟《はこぶね》」の場面だ。巨大な船に、全ての動物を一つがいずつ、そしてノアの家族が乗る。それで大洪水を生きのびる。一般の動物は干草を食う。虎やライオンはどうする。ノアの妻は「ミルクを与えなさい」と言う。羊や牛のミルクをやればいいと言う。「そんなので大丈夫なの？」と子供は聞く。「大丈夫よ。大きな猫なんだから」。なるほど、と思った。「同じネコ科」だから、というだけではない。虎やライオンは「大きな猫」なんだ。猫だからミルクをピチャピチャ飲んで満足する。猫こそ、世界平和の思想そのものだ。

『ライオンに肉食をやめさせる法』という本が昔あった。今はトンデモ本として紹介されているだけだ。しかし、「旧約聖書」では、大昔に実現していた世界だ。また、これから先に再び実現する世界だ。

不良中年の同志である嵐山光三郎さんの本に『断固、不良中年で行こう！』(朝日新聞社)がある。その中で、憲法9条の「戦争放棄」について疑問を呈している。

〈「放棄」という言葉は、たとえば「責任の放棄」という使われ方がある。「放棄」とは「本来的に有していたものを喪失させる」行為である。「責任の放棄」とは「責任を負わない」ということで、悪い意味に使われる。授業をしない高校教師は「授業放棄」、家に帰らぬ父は「家庭放棄」、会社をさぼれば「職場放棄」で、いずれもロクなもんじゃない。してみると「戦争の放棄」という書き方は、「本来はしなければいけない戦争を無責任にも放棄する」というニュアンスになる。これは第9条の考え方に反する内容で、第9条の精神を尊重するのであれば、はっきりと「戦争の禁止」と表現すべきではなかったか〉

そうか、と思った。今まで考えたこともなかった。今、手元の『和英併用　机上事典』（誠文堂新光社）を見ても、「放棄」は「なげすてること。また、権利などを使わずにすてること、abandonment」と出ている。権利を持ってるのに、なぜか捨ててしまう、という意味だ。では、憲法の原文がabandonmentだから、そうなったのか。じゃ、アメリカ側も「いつかは再軍備するだろうが、とりあえずは軍備をやめとけ」という意味だったのか。そう思って「原文」を見た。そうしたら、「放棄」はabandonmentでもないし、abolishmentでもない。abolitionだけでアメリカでは「奴隷制度廃止」も意味している。これだったら、全く問題はない。奴隷制と同じように戦争も恥ずべき悪であり、根絶するのだ。という断固とした決意を感じさせる。

ところが違う。原文では、renounceだ。三省堂の『最新コンサイス英和辞典』によると、

renounceは「(正式に) 放棄する、棄権する、断念する」と出ている。強い言葉だ。「本当はその権利があるが、今はともかく捨てる」といった意味はない。翻訳した時に間違ったのだろう。あるいは、他にいい訳語がなかったのか。「禁止する」では、一般に使われている言葉だから軽いと思ったし、「投棄する」では、ゴミを捨てるように思われる。だったら、重々しい「放棄」しかないと思ったのだろう。

だったら、「戦争放棄」をもっと徹底するために、9条を改正しよう、という運動があってもいい。「放棄する」を改めて、「禁止する」「投棄する」にする。でも、文章の格調は低くなるな、と思った。「どうしたらいいんだろな」と、僕の愛用の「戦争放棄」に相談した。これは去年、九条連の人からもらったものだ。「戦争放棄」のシンボルというか、マスコットだ。でも、そんな抽象的概念を形にすることはできない。仕方なく、箒の形で表した。掃除の時、掃く用具のほうきだ。胸につけたり、携帯のストラップにしていた。机の上を掃除するのにも便利だ。ところが最近は、猫がじゃれついて遊んでいる。「猫じゃらし」になってしまった。でも、ルーツをたどると「二人」は一緒なんだし、いいだろう。同じ「世界平和」の精神なんだし。

実は、「放棄」と「箒」も、元々はルーツが同じだ。言霊学的見地からはそうなる。今まであったものを掃いて、捨てるのだ。ゴミだって、前は必要だったものもある。しかし、捨てるのだ。きれいにする。そういう意味がある。

掃除する道具としては「箒」の他に「はたき」がある。ちりを払う道具で、障子や本箱にバタバタとかけて、ほこり、ちりを払い落す。だったら、9条も「戦争放棄」ではなく「戦争はたき」にしてみたらいいかもしれない。うん、これは名案だ。と思っていたら、「戦争箒」で遊んでいた猫に笑われた。「その場の思いつきだけなんだよな、お前は」。そして、「右翼放棄め！」と言われた。じゃ、「右翼箒」のミニチュアをつくって、第二の「猫じゃらし」にしよう。猫も喜ぶだろう。

「そうか」とここで気がついた。「戦争放棄」と訳した人は、本当は「箒」のことも考えていたのだ。この箒に乗って、戦争のない世界へ飛んでゆけると。9条は「魔法の箒」になると。美しい夢だ。メルヘンだ。いいことではないか。

4　岬の思想

（第20回　2009年3月4日）

岬には「思想」がある。そして「物語」がある。という持論を展開した。2月25日の夜、神田の居酒屋で、「憲法9条を考える」集まりの時だ。本当はそんな名前はなかったが、実質的にそんな話になったのだ。

2007年の4月、ニューヨークで憲法9条をめぐるシンポジウムが行われ、僕も呼ばれた。憲法24条を書いたベアテさん、『映画　日本国憲法』の監督ジャン・ユンカーマンさん、それに大学の先生たちで討論した。その歴史的「9条シンポ」を主催した渡辺真也氏が2月に帰国したので会った。他にも、ニューヨークで活躍している美術家、美術商、大学院生も参加して、飲みながらの「9条シンポ」になった。

大学院生が、「日本文学の研究をしています。滝沢馬琴が好きです」という。「鈴木さんも本の中で書いてましたよ」と渡辺氏。そうだっけ？　馬琴の『南総里見八犬伝』を取り上げて〈玉砕〉について書いてた、と言う。あっ、『愛国の昭和――戦争と死の七十年』（講談社）か、と思い出した。

そこで岬の話をしたんだ。『広辞苑』（岩波書店）によると、「みさき（岬・崎）」の「み」は接頭語だという。「海または湖に突き出した陸地のはし」と出ている。千葉に犬吠埼《いぬぼうざき》がある。「千葉県東端、銚子《ちょうし》半島先端の岬。太平洋に突出し、先端に灯台がある」と『広辞苑』には出ている。では、これからは『広辞苑』には出ていない話だ。いったい、犬が吠《ほ》えたというが、どこの犬だろう。何のために吠えたんだろう。「さあ、その辺の野良犬じゃないの？」と参加者は言う。「憲法9条を世界に！」と9条犬が吠えたんじゃないの？と言う人も。でも、これはもっと昔の話だ。実は、馬琴の『南総里見八犬伝』に出てくる八房《やつふさ》という犬だ。「敵の大将を殺した者には姫をやる」という殿様の言葉に応えて、見事、敵の大将を噛《か》み殺した犬だ。「犬じゃなー」と躊躇《ちゅうちょ》する殿様。でも犬は姫を拉致して山に逃げ込む。「不届きな犬め」と家来が追いかけ犬を射殺する。弾《たま》は姫をも貫く。その時、八つの玉が空高く飛び散り、それが八犬士になる、というお話だ。この犬が、姫と幸せに暮らしていた時、海に出ては故郷の館山《たてやま》を偲《しの》び、ワンワンと遠吠えしたという。そこからこの名ができた。『八犬伝』には出てないが、図書館で調べたのだ。

青森には竜飛岬《たっぴみさき》がある。「ごらんあれが竜飛岬　北のはずれと　見知らぬ人が指をさす」と歌われた岬だ。あっ、石川さゆりの「津軽海峡冬景色」ですね、と渡辺氏。そうです。見知らぬ人が指をさし、そこから会話が始まり、そして二人は深い仲になるんです。蘊蓄《うんちく》はナンパの道具です。では、青森には昔、竜が飛んでいたのでこの名前がついたのかな、と思ったら違う。

これも図書館で、百科事典や地名辞典、伝承辞典などを調べて分かった。青森の北の岬はもの凄く風が強い。半端じゃない。この風は竜をも吹き飛ばす。そういう意味でつけられた。だから、吹き飛ばされてしまって竜はもういない。もったいないことをした。吹き飛ばされる前に捕獲して、我々に見せてほしかった。

では第3問、四国の足摺岬です。「あしずりみさき」と読む。高知県の南西端にある。僕も昔、行った。疲れて足をひきずった。そこから足摺岬という名前になった、のではない。僕じゃダメだ。弘法大師様だ。四国中を回り、病人を治してやったり、井戸を掘ってやったりした。偉いお坊さんだ。そんな偉い人でも、高知の岬はつらい。疲れた。偉いなーと思って、足をひきずった。それで「足摺岬」という名前がつけられた。

以上、全て、本当の話だ。図書館で1週間も通って調べた成果だ。これで1冊ずつ本が書けるな。『なぜ足摺岬は足摺なのか?』『竜飛岬の竜はどこへ行ったのか?』……とか。

他にも岬や崎には皆、思想がある。物語がある。調べてみたらいいだろう。ではなぜ、岬にはそれだけ深い思想や物語があるのか。それは、岬は「目印」であり「希望」だったからだ。戦争ばかりの世界の中にあって、非戦の灯台をともした憲法9条のようなものかもしれない。

昔々、船は、遠く陸地を見ながら航行した。旅人を乗せる船、荷を運ぶ船は、港から港に行った。はるかに陸地を見ながら、今、自分は北上してるとか、南下してるとかを確認した。でも不安だ。毎日、同じ海、同じ陸影だ。そんな時に岬が現れる。あっ、ここは足摺岬だ、犬吠埼だと分かる。航行が間違いなかった、と分かる。ホッとする。荒野で神に会った気分だった。夜は灯台の灯《ひ》もつく。

だから、岬は宗教的存在だったし、自己確認の手段だった。もしかしたら道を外れたのではないか。とんでもない方向に行ってるのではないか。荒海の中で、ポツンと孤立し、不安になる。絶望感にうちひしがれている時、〈岬〉を見つけた時の喜びはどれほどのものだったのか。想像して余りある。

アメリカはオバマを選択した。暗い、底冷えのする不況の荒海の中で、アメリカ国民はオバマに岬を見、灯台を見ようとしている。夢見るパワーは素晴らしいと思う。イラクからも撤退する。過ちの一つひとつが修正されるだろう。そう願いたい。

しかし、日本はどうだ。地理上は、こんなに岬が多いのに、こんなに灯台が多いのに、人々の心は暗い。

アメリカの圧力の下、日本は１９５０年に警察予備隊をつくった。１９５２年にはそれが保安隊になり、１９５４年には自衛隊になった。そして今に至っている。これも、アメリカの過ちだ。日本の過ちだ。だから、正したらいい。

2年後、自衛隊を保安隊に戻す。その2年後、警察予備隊に戻す。警察の予備だ。何なら、はっきり警察だけにしたらいい。そうしたら、「軍隊」(らしきもの)は消滅した。「軍隊を出してくれ」とアメリカから言われても、「軍隊はありません、自衛隊もありません」と断れる。警察だから徴兵もない。警察だから核を持つこともない。そして日本と日本人を守る。これで十分ではないか。

そして9条は世界の〈岬〉になる。世界の〈灯台〉になる。悔しかったら他の国も真似《まね》してみろ! と叫べばいい。犬吠埼から叫べばいい。憲法だって(不満はあるが)、アメリカができなかった理想を日本で実現したのだ。たとえ改正するにしろ、基本的な理想や夢は捨てることはない。理想主義者のオバマだ。日本にならって、9条を取り入れるかもしれない。

5　3・11以後の改憲論議

（第74回　2011年5月11日）

5月3日は憲法記念日だった。そのことさえ、すっかり忘れていた。そんな人が多いだろう。東日本大震災、福島原発事故で、憲法記念日も吹っ飛び、憲法論議も〈自粛〉したのだろう。と、思っていたら、実際は、改憲派・護憲派の集会が各地で開かれたようだ。5月4日の新聞で知った。両方とも、大震災・原発事故を受け、「だから改憲を」「だから憲法を守ろう」という主張が多かったようだ。客観的に見ると、〈国難〉をバネに「憲法に非常事態（緊急事態）条項を盛り込め」という改憲派の方が勢いがあるようだ。

〈戦後のわが国は「平和憲法の名の下に、国家が緊急事態に対処する法体系を整えることをタブー視してきた」と指摘した〉

これは、憲法改正を目指す「『21世紀の日本と憲法』有識者懇談会（民間憲法臨調）」の集会での提言だ。「産経新聞」（5月4日付）に載っていた。この集会では、西修《おさむ》駒沢大元教授が現政権を批判して、こう発言した。

〈今回の菅直《かんなお》人《と》内閣の危機対応はお粗末極まりない。有事を想定しない現行憲法の下で、平和と安全の神話に浸ってきたからだ〉

「平和ボケ」している憲法と現政権を断罪している。また、「新しい憲法をつくる国民会議（自主憲法制定国民会議）」では、

〈憲法に「緊急事態宣言・危機管理規定」を新設し、指揮権が首相にあるとの明文規定を置くべきだとする決議を採択〉

したと言う。

この気持ちは分かる。でも、考えてほしい。誰もが納得できる、有能なリーダーが出るのだろうか。そのもとに指揮権を集中し、「独裁的」にでもやってほしいと思えるリーダーがいるのか。菅首相の前の、鳩山、麻生、福田、安倍……と、皆同じだ。今首相だったら、もっと叩《たた》かれていただろう。いや、叩かれる前に、すぐ辞めただろう。だから、「指揮権が首相にあるとの明文規定」には、かえって反撥が出るかもしれない。それも、改憲論者から。

「国会議員の仲間うちから首相を選んでいるから、首相の力はないのだ」と橋下徹《はしもととおる》大阪府知事はテレビで言っていた。仲間うちから選ばれ、その支持しかない。だから、自信を持って行動できないという。自分は大阪府全体の選挙で選ばれた。だから自信を持って行動できるという。首相は公選制にし、国民全体から選べという。大統領選挙のような形だ。なるほど、これなら「自分は国民から選ばれたのだ。議員の仲間うちで選ばれたのではない」と思い、自信を持って行動できる。

それは言える。しかし、大阪、東京、名古屋なら面白いキャラクターが出て、知事になってもいいだろうが、首相では……という反撥も出るだろう。独裁者が出て、戦争にでもなったら嫌だと思うだろうし。

僕も昔は強固な改憲論者だったから、どんな事件が起こっても、どんな災害が起こっても、「そら見ろ。憲法が悪いからだ」「だから改憲を！」と言ってきた。「憲法は諸悪の根源だ」とも言った。全ては憲法が悪いからだ。憲法を変えれば全てはよくなる……と言ってきた。かなり乱暴なものの言い方だと思う。でも、社会運動は、スローガンにして単純化すればするほど分かりやすい。人も集まる。運動も伸びる。昔の僕なら、この大災害も改憲運動に大いに利用しただろう。

一方、「5月3日」の護憲派の運動はどうか。

〈護憲派が都内で開いた「5・3憲法集会」では、社民党の福島瑞穂《みずほ》党首が「放射性物質が人々の平和的生存権、幸福追求権を脅かしている」と主張。非常事態条項の新設について「とんでもない。制限より被災者の権利回復が大事」と批判した〉

本当を言うと、非常事態条項については検討してもいいのだろう。でも、少しでも憲法をいじると、9条まで改憲される。それが嫌だから、憲法を守り、その中の権利を主張してるのだろう。それに、9条はいじらないとしても、非常事態条項の名のもとに、国民のいろんな権利が制限される恐れがある。風評被害を防ぐ、ということで、マスコミやネットなど個人の言論が制限される恐れもある。「公」のため、「個」は犠牲を甘んじるべきだ。となるかもしれない。

「産経新聞」では、最後に共産党の主張も紹介されていた。

〈共産党の志位和夫委員長も、「政府が非常事態に対応できていないのは、憲法のせいではない。（改正論は）憲法にぬれぎぬを着せた火事場泥棒だ」と強調した〉

うん、これが一番正しいのかもしれないな、と僕は思った。改憲論議は必要だ。それはもっと冷静にやるべきだ。こんな時に、「ほら見ろ、憲法のせいだ」などといって、興奮状況の中で改憲されてはたまらない。

最近、ある保守派の集まりに行ったら、参加者がポツリと呟《つぶや》いた。

「日本は今、こんなに弱体なのに。でも、どこも攻めてこないな」

一瞬、何を言ってるのか分からなかった。そうか、軍備のことか。いざという時の備えのために軍隊を持つのだ。僕らはそう教わったし、そう主張した。軍隊がなかったら、すぐに他国に攻め込まれる。憲法に書いてるような「平和を愛する諸国民」など、どこにもいない。スキあらば攻め込もうと虎視眈々《こしたんたん》と狙ってる国ばかりだ。だから軍備は必要だ。なかったら、すぐに侵略される。そう思っていた。

ところが今、自衛隊23万のうち、半分の10万以上は東北に行っている。軍備は脆弱《ぜいじゃく》だ。「絶好の機会」だ。でも、どこも攻めてくる国はない。「仮想敵国」のロシアも、中国も、北朝鮮ですらも、日本に義援金を送り、「頑張れ！」と励ましている。そうすると、憲法前文も、絵空事だと思っていたが、案外とリアリティのある文章なのだ。さっきも、ちょっと引用したが、こう書かれている。前文のまん中あたりだ。

〈日本国民は、恒久の平和を念願し、人間相互の関係を支配する崇高な理想を深く自覚するのであつて、平和を愛する諸国民の公正と信義に信頼して、われらの安全と生存を保持しようと決意した。われらは、平和を維持し、専制と隷従、圧迫と偏狭を地上から永遠に除去しようと努めてゐる国際社会において、名誉ある地位を占めたいと思ふ〉

「努めてゐる」「思ふ」と、旧仮名だ。これだけでも変えたらいいと思うが、改憲作業に入ると、まっ先に9条を変えられる。「戦争のできる国」にされてしまう。そういう恐怖感が先に立って、旧仮名すら直せない。

でも、今、この前文を読むと、世界の現状の方が、憲法に近づいてきた。そんな感じがする。昔は、僕は左翼と論争する時、「平和を愛する諸国民」なんてどこにいるんだ。中国、ソ連を見ろ。侵略ばかりしている。そういって、左翼を論破した。しかし、今、日本は軍備がほとんどなくて、いわば丸裸だ。それでも、どこも攻めてこない。「こんな時に攻めたら世界中から批判されるからだ」と言うだろう。でも、世界中から批判されながら、今まで世界中で、侵略は行われ、戦争は行われてきたのだ。

だからもう自衛隊は必要ない。と言うのではない。今回の大震災の復興は自衛隊の力が一番大きい。「だったら、軍隊ではなく災害救助隊にしたらいいだろう。軍備は捨てて」と言う人もいる。僕も、将来そうなればいいなと思ったことがある。左翼の人の中では、未《いま》だにそう言う人がいる。そうすると、平和憲法を守れるし、軍隊に似ている自衛隊もなくせる。災害救助の部隊があるだけだ。いわば、消防のレスキュー隊のようなものだ。

でも、先月、大阪のテレビ番組で井上和彦さん（軍事評論家）に会った。井上さんは「それではダメだ」と言う。単なる災害救助では、とてもできない。普段から、実践（＝戦争）を想定し、命のやりとりを考えて訓練している。だから、大災害の時もあれだけ活動できるのだと。亡くなってる人も多い。遺体を背負って歩くこともある。危険を顧みず、命をかけて飛び込むことも多い。それは〈戦争〉を想定した厳しい訓練を受けてるからできることだと言う。なるほどと思った。それに今回「自衛隊は今まで1人も殺してない。それどころか、多くの人命を救ってきた。世界に例のない軍隊だ」と言われた。そうだよな。これは例外的なことだ。でも、「人を殺すのが軍隊だ」と思ってきたが、本当は「自国民を守り、救う」のが任務だ。その意味では、この困難な時に最も自国民を守り、救っているのが自衛隊だ。では、「最も理想的な軍隊」なのか。いや、「軍隊」という概念を超えた存在だろう。だから名前も「自衛隊」

のままでいい。それで、憲法に明記したらいい。「でも、そうしたら、危ない軍隊になる」という不安があるなら、まず、「歯止め」をかける。いわば、国民的合意だ。これは前にも言ったが、徴兵制はしない、核武装はしない、海外派兵はしない。とりあえず、この三点の合意をつくる。その上で、もっと自由で個人の権利を明記した憲法をつくる。あるいは、今のままで全ていいのなら、そのまま認める。そこで初めて「自主憲法」と言われるだろう。自衛隊についてのその合意ができないうちは、改憲作業は待った方がいいだろう、と最近は思っている。

6　国民投票で、冷静に「改憲」を判断できるのか？（第２０２回　２０１６年７月13日）

７月10日（日）、参院選の投票が行われ、即日開票された。自民党の圧勝だった。アベノミクスや経済よりも、「改憲」のことが大きく取り上げられていた。７月11日（月）の新聞は皆、この「改憲」がトップだった。「改憲３分の２　発議可能に」（「産経新聞」）。「改憲４党　３分の２に迫る」（「朝日新聞」）。「改憲勢力　３分の２」（「東京新聞」）……と。

〈焦点の憲法改正では、自民、公明両党とおおさか維新の会などの改憲勢力が、国会発議の要件となる３分の２（非改選と合わせて１６２議席）に必要な74議席以上を確保した〉（「産経新聞」）

これで憲法改正は現実のテーマになった。「やっと改憲できる。これで日本も救われる」と狂喜する改憲派。「ダメだったか」と絶望感に襲われる護憲派。安倍首相は喜びを噛みしめながらも、改憲は急がないと余裕の発言をしている。「選挙で改憲の是非が問われていたものではない」としながら、こう言う。「（憲法改正の国会発議に向けて）しっかりと橋はかかったんだろう。私の（自民党総裁）任期はあと２年だが、憲法改正は自民党としての目標だから落ち着いて取り組みたい」。

それに安倍首相は、「改憲は国民が決めることだ」とも言っていた。国会では発議するだけで、後は国民投票で決まる。つまり、決めるのは国民の皆さんだ。自民党が独裁的・強権的にやれるものではない。そう言ってるのだ。しかし、「改憲だ！」と国会で発議された改憲案を「でも、本当に決めるのは国民の皆さんです。冷静に判断し、決めてください」と言われても、冷静に判断できるものではない。

イギリスでは6月23日に、国民投票で欧州連合（EU）からの離脱が過半数を占めた。扇動的な「独立」「愛国」のスローガンが勝ったのだ。日本でも、改憲の国民投票になったら、大騒動になるだろう。とても冷静に国防や天皇、人権……などを論じ、判断できる状況ではない。大体「国民に直接問う」という姿勢は正しいようだが、EU離脱や改憲のような国家的テーマを国民の熱狂と喧騒《けんそう》の中で決めていいのか。時間をかけ、冷静に議論するべきだろう。

実際、イギリスでは、国民投票後に、世界中の批判や経済的損失などを見て、「だまされた」「こんなことになるとは思わなかった」という声も上がっている。「再投票」を求める声もある。そんなこと、はじめから分かっていただろうに……と外国の我々は思う。しかし、マスコミや政治家に煽られ、我を忘れた国民は冷静に見ることはできないのだろう。アメリカのトランプ現象もそうだ。敵を認定し、激しく攻撃すれば、それで気分はスッキリするだろう。しかし、問題は解決しない。そんなことも分からないのか。声を荒らげて攻撃すれば、敵は次々と消えてゆく、とでも思っているのか。まるでゲームの世界だ。イギリスやアメリカの失敗を見て、理解できないのは本人たちだけではないか。そんなことを感じた。

いやいや、そんなことを言う資格はないのかもしれない。日本だって世界中から同じように見られている。まわりの国々と仲よくする努力もしないで、挑発し、わざと批判・攻撃を呼び寄せて、「ほら見ろ、だから防衛だ」「だから改憲だ」と言っている。孤立する国民も「そうだ、そうだ」と思う。国が強くなれば、自分も強くなれるような気がする。改憲したら、我々一人ひとりも強くなれる。賢くなれる。そんな気がするのだろう。

昨日（7月11日）、渡部恒雄さん（東京財団上席研究員）の講演を聞いた。「トランプ現象のアメリカの深層を考える」と題して、アメリカを分析する。詳しい。トランプ現象やイギリスのEU離脱は、決して他人事《ひとごと》ではない。日本だって、そういう大問題に直面したら、冷静ではいられない。宣伝・情報・扇動……の中で、理性など吹っ飛ぶ。冷静な判断などできない。「憲法改正を問う国民投票の時は、そうなるでしょう」という話になった。国会で3分の2を取ったのだから、いつでも発議はできる。でも「決めるのは国民の皆さんです」と言う。そして、国民投票にかける。たとえ、一時の熱狂だとしても、過半数の人が自民党の改憲案に賛成することはないだろう。それほど愚かではない。そう思う。いや、そう思いたい。だって「過半数」だよ。5000万人以上の人が扇動に乗り、我を忘れて賛成するなんてないだろう。「いや、国民の過半数じゃないんです。国民投票の過半数なんです。だから、どのくらいの人数か分かりません。限定もありません」と渡部さんは言う。例えば、地方の知事、市長などの選挙で、やたらと投票率の低いところがある。3割とか、もっと低いところが。その過半数を取っても、全人口の15%が支持しているだけだ。あとの85%は反対かもしれないし、少なくとも「無関心」だ。でも15%でも、住民の支持を得た、と言う。

さて、改憲の国民投票だ。投票率がいくら以上、なんて規定はない。3割だろうが、2割でも1割でも「成立」する。もし1割しか投票しなかった場合、そこで過半数を取ったといっても、全体の5%だ。5%で改憲が決まるかもしれない。

家に帰って『模範六法』(三省堂)を見てみた。第96条が「憲法改正の手続」だ。〈この憲法の改正は、各議院の総議員の三分の二以上の賛成で、国会が、これを発議し、国民に提案してその承認を経なければならない。この承認には、特別の国民投票又は国会の定める選挙の際行はれる投票において、その過半数の賛成を必要とする〉

国民投票ではなく、選挙の時でもいいんだ。「まあ、○か×をつけるだけだから」。それで過半数を取る。でも、海外からは猛バッシングだ。「あれは間違った情報を与えられていたからだ」「扇動されたんだ」と言って弁解するのか。イギリスと同じことが繰り返されるのかもしれない。

7　改憲運動をやってきて、いま思っていること　（第217回　2017年2月22日）

世界は大混乱だ。北朝鮮、アメリカ……といったい何を考えているのか分からない。日本の総理大臣は、それに比べたら実にノーマルだ。子供の時からずっと目立つ子供ではなかった。大学のゼミでも発言することはない。政治的な意見など言ったこともないという。でも、「いい人」だ。「いい人」だけで国会議員になり、総理大臣になった。青木理《おさむ》さんの『安倍三代』（朝日新聞出版）を読むと、「凡庸な、いい人」が国のトップにのぼりつめる様子が書かれている。

安倍さん個人も、特に人に抜きん出た才能があるわけでもなく、努力もない。「いい人」だけで国の代表になり、トランプ大統領とゴルフをやり、世界から「評価」された。自分からつくり出すことは苦手でも、外界の様子を見て「解説」し、「だから、こうすべきだ」と言うことはうまい。世界中が混乱に陥っている。だから、軍備を整え、憲法改正しよう……と言う。決して日本はナンバーワンだ、などとは言わない。極端な移民排除や「自国中心」なんて言わない。他国との付き合いで自衛隊を外に出す。そこまで来ている。

憲法改正をわざわざやらなくても、もう自衛隊を外に出している。いったい、どんな国になってしまったのか。こうなると「憲法を守れ」というスローガンも「改憲しろ」というスローガンも虚しい。憲法になぞ関係なく、ものごとは進んでいく。「マガジン9」に頑張ってもらわなくてはと思う。シンポジウムやデモをやってほしい。でも、他人に頼っているだけではダメなんだろう。自分たちでやらなくては。

僕は学生時代からずっと「憲法改正運動」をやってきた。これこそが日本を正す道だと思った。ところが、あれから50年近くが経ち、考えが変わった。憲法があって国民があるのではない。どんなに立派な憲法をつくっても、これに国民をあてはめようとするのではダメだ。そうではなく、国民がまずあって、国民のために憲法をつくる。それが正しいと思う。今までの自分の過去の信念と、どうして今変わったのか。それについて書いてみようと、やってきた。3月1日にできる予定だ。祥伝社新書だ。タイトルは『憲法改正を急ぐな!』。

これまでずっと長い間、改正運動をやってきた自民の保守派は「今この機会しかない」という中で、急いでやろうとしている。しかし、そんな形で「あれもこれも」「急いで入れよう」とやられてはまずい。憲法改正は必要かもしれないが、今、一気にやろうとするのはまずい。いつか、冷静に国の将来を考えられる時が来たら、その時、冷静に語り合ったらいいだろう。そう思い、つけたタイトルだ。

ところが、「右傾化」の世論は予想を超えて進んでいる。冷静に憲法改正を語れる時など来ないのではないか。そんな焦りが強くなった。『憲法改正を急ぐな！』では、なんだか生ぬるい。「もっとはっきりした方がいいのではないか」と出版社でも意見が割れた。そして決まった。『憲法が危ない！』。もうすぐ出る。「転向だ」「変節だ」と言われるのは覚悟の上だ。昔の運動があって、自分があるわけではない。過去の誤りは訂正する。当たり前のことだと思う。今までで一番、危ない本かもしれない。

8　憲法を変えれば、〈現実〉も変わるのか？

（第220回　2017年4月5日）

〈これは、エイプリル・フールか〉と一瞬思った。昔は、この日（4月1日）は「嘘をついていい日」と言われた。だから一生懸命、考えた。新聞や雑誌などでも、堂々と嘘がまかり通っていた。でも今は、この言葉はむしろ死語だ。「エイプリル・フールだから」と弁解しても、今では嘘をつく「自由」はないし、笑って許す余裕もない。

でも、「産経新聞」（4月1日）を読んでいて、あれっと思ったのだ。まさかエイプリル・フールかと、思い出したのだ。

〈民進・細野氏が憲法私案〉

〈今月発表　執行部内の溝浮き彫り〉

えっ！　これは何だろうと思った。本文では、こう書かれている。

〈民進党の細野豪志（細野豪志氏はその後、希望の党などを経て2021年自民党に入党）代表代行は31日の記者会見で、4月に自身の憲法改正私案を発表することを明らかにした〉

これはどうしたことだろう。民進党は憲法を守り、平和を守る政党だと思っていた。維新や公明とは違う。ところが、細野氏は「憲法私案」をつくったという。たぶん、民進党全体としては「護憲」が主流なんだろう。だから、ただ一人でも「私案」として出すということだろう。では、私案ではどんなところが問題になるのか。

〈私案は高校までの教育無償化や、大規模災害時に国会議員の任期延長を認める緊急事態条項の創設などが柱。ただ蓮舫《れんほう》代表は改憲項目の絞り込みや教育無償化の憲法明記に消極的で、私案は執行部内の溝を浮き彫りにしている〉

蓮舫代表の言い分の方がまともだと思うが、孤立無援でも細野氏はやるつもりだ。

〈細野氏は会見で、私案について、自ら「現実的な改正案」と評価した。さらに「(与野党による) 議論に資する形になればいい」とも述べた。衆参両院の憲法審査会で改憲項目の絞り込みが進んでいないことに関しては、「与野党が互いの見解を述べ合うことにより、少しずつだがコンセンサスが見えてくる可能性は出てきている」と期待を示した〉

細野氏の「勇気」を買うべきか。「これでは自民の改憲論議に巻き込まれるだけだ」と批判すべきなのか。民進党内部ではどうも後者の方が多いようだ。

〈ただ蓮舫氏は、憲法改正せずとも教育無償化の実現は可能との立場を取っている。私案は党内でも議論を呼びそうだ。細野氏の私案は、10日発売の中央公論に掲載される〉

そうか。「中央公論」に発表するのか。記者会見よりも、その方が効果もあるし、表現も正確にできる。記者会見をし、その場で質問されたら、どうしても言葉尻をとらえた批判が多くなる。また、民進党主流の人たちとの「溝」ばかりを追及される。それを避けるために雑誌発表にしたのだろう。

僕は細野氏とは「朝まで生テレビ！（朝生）」で一緒に出たことがある。憲法の時だったと思う。爽やかで、とても弁の立つ人だと思った。その後、いろんな会合で何回か会ったが、朝生で初めて会った時の印象が強い。爽やかで、自主独立でやっていこうという覇気を感じる。民進党の中でも近いうちに代表になるだろう。でも、この私案を出すことで、その道は遠くなるかもしれない。そこまでして「私案」を出すのか。

別の面から考えてみよう。それほど憲法が大事なのか。何でもかんでも、憲法に書き込むしかないのか。世の中を変えるとしたら、まず憲法を変えるしかないのか。昔、学生時代には、僕は「憲法改正運動」をやっていた。「諸悪の根源＝日本国憲法」と言っていた。政治、経済や社会問題の全ての原因は憲法にある、と思っていた。つまり憲法を変えていけば、全てが解決すると思った。でも、それだけ憲法にばかり頼り、期待することになる。

「リベラルの側からの改憲案もあるはずだ」という人がいる。環境権、同性婚、死刑廃止……なども、改憲したらできる。そう思っているようだ。でも、それでは公明党の「加憲」と同じになってしまう。それに、右派からの改憲欲求はもっと強い。「徴兵制にしろ」「核を持て」……と。

今まで長い間、改憲は遠い、遠い、見果てぬ夢だった。ところが今は、安倍首相自ら「憲法改正をする！」と言っていて、その首相を支持する人も多い。そして憲法を変えられる状況になったら、あれも変えろ！　これも変えろ！　という声が多い。憲法をどんどん変える。変えたら〈現実〉も変わる。「憲法にだけ頼る」「憲法改正にだけ頼る」。そんなスローガンの裏で、現実の政治は、もっともっと劣化していく。そんな気がしてならない。

第三章　表現の自由

1　街宣の原点にかえれ

（第7回　2008年9月3日）

マイクの調子がよくない。係の人が必死に調整してくれる。それでもダメだ。そんなことが時々ある。市民運動の集会ではよくある。最近もあった。「どうもダメですね。肉声でお願いします。大きな声でやってください。右翼なんだから大きな声で怒鳴るのは得意でしょう」と言われた。失礼な。

「じゃ、ハンドマイクはないの？　メガホンでもいいや」と僕は言った。市民会館の一室だ。そこで講師がメガホンで講演する。それもレトロでいいかもしれない。憲法を改正するか否か。左翼の人と討論していた。「言論の自由」が大きなテーマになった。マイクの故障で、まず考えた。「言論の自由」を行使するための「道具」「武器」についてだ。

右も左も、「言論の自由」は否定していない。その意味では憲法を守り、その「言論の自由」のもとで、言いたいことを言っている。

自分の意見、思想を伝え、訴える時、昔は肉声でやっていた。それしかなかった。大きな屋敷やお城の中で大勢が集まった時も、肉声でやる。「忠臣蔵」の冒頭、赤穂《あこう》城で皆が議論する。籠城か、城明け渡しか。いや、殿の仇《かたき》を討つべきだ。いや全員ここで切腹するべきだと。何百人と侍がいたのだ。そこで話す。マイクもメガホンもない。大変だったと思う。当時の人々は皆、声が大きかったのだろうか。

いや、まわりが静かだったから結構、声が通ったのかもしれない。お寺の鐘だって何キロも離れたところにも聞こえたという。だから、鎌倉時代、日蓮《にちれん》が辻説法《つじせっぽう》をしても、多くの人に聞こえた。見知らぬ一般大衆に向けて初めて話をしたのは、たぶん、坊さんだろう。その中でも日蓮は有名だ。いわば「街宣のルーツ」だ。

町がうるさくなると肉声では通じにくくなる。メガホンを使い、ハンドマイクを使い、そして「街宣車」になる。

車を使って訴えているのは何も右翼だけではない。自民党、民主党、社民党、共産党もやっている。左翼も、労働組合、市民運動もやっている。ちり紙交換や焼き芋屋もやっている（これは思想じゃないか）。

街宣は街頭宣伝の略だ。だったら、左翼も全ての政党、労働組合も、皆「街宣車」のはずだ。でも、「街宣車」と言うと「右翼のもの」と思われている。だから「選挙カー」とか、「情宣カー」とか呼んでいる。右翼なんかと一緒にされてたまるかと思うのだ。

街宣車を発明したのは大日本愛国党総裁だった赤尾敏《びん》さんだ。数寄屋橋で、亡くなる寸前まで街宣をしていた。戦前は国会議員だった。だから国会議員の選挙活動として車を使っていた。はじめは「選挙カー」で、それが街宣車になった。また、それを他の右翼の人たちが真似て「街宣車」をつくった。僕はずっとそう思っていたし、そう書いてきた。

「いや、それは違います。順番が逆です」と、愛国党にいた人に言われた。街宣車が先で、政党の選挙カーは、赤尾さんの真似をしたのだという。これには驚いた。そういえば、選挙の時に車で訴えているのは日本だけだ。アメリカの大統領選挙でも、屋内でやるか、公園でやる。選挙カーで演説したりしない。ましてや車で連呼したりしない。他の国の選挙もそうだ。

日本だって昔から選挙カーがあったのではない。戦前、戦争中はない。「60年安保」の危機を前にして赤尾さんが〈発明〉したようだ。安保反対で国会を取り巻くデモ隊は連日、20万人にも上った。それに対抗して、右翼が何人か、あるいは何十人か行ったところで、すぐに粉砕されてしまう。声も届かない。

「車にマイクを積んで、訴えたら堂々と渡り合える」と赤尾さんは思った。なかなかのアイディアマンだ。「街宣車は1000人の動員に勝る」と言ったという。「街宣車は、何万人という左翼デモに対抗する大砲だ」とも言ったという。元愛国党にいた人が教えてくれた。

そうだったのか。圧倒的に大きな力に対抗する〈武器〉だったのか。武器といっても、レジスタンスの武器だったから、何十台も街宣車が走り、人々に脅威を与えることには反対していた。軍歌を鳴らして走ることにも反対していた。街宣車を使って企業や個人に圧力をかけることにも反対していた。なるほどと思った。

だから、いつも車をとめて、マイクで演説をしていた。マイクを使った〈辻説法〉だ。そのために街宣車はある。それ以外の用途には使うべきでない。赤尾さんは、その姿勢をストイックに守ってきた。

それを真似たのだ。いや、それに続いたのだ。政党の「選挙カー」も、労働組合、左翼、市民運動の「情宣カー」も。だから、全ては「街宣車」なのだ。少なくとも、赤尾さんの街宣車から、全ては始まった。実は赤尾さんにとっては、「選挙」よりも「街宣」の方が大事だった。赤尾さんは戦後、何度も何度も選挙に出ていた。いや、あらゆる選挙に出ていた。戦前、国会議員だったことが忘れられなくて、それで立候補したのだろうと思う人も多いが、違う。

再び国会議員になろうなどという夢はとうに捨てていた。それよりも街宣の方が大事だった。街宣命だった。

選挙の時は、一般の街宣・情宣はできない。公職選挙法で決まっている。もしやったら、選挙妨害になって逮捕されてしまう。だから赤尾さんは、選挙中も街宣をやりたいがために、選挙に出たのだ。これは僕も生前、ご本人から聞いたから事実だ。

昭和天皇がご病気の時、そして亡くなられた時、右翼は皆、街宣をやめた。一切、やめて自粛したのだ。ところが赤尾さんだけは、やった。「こういう時だからこそ国民に訴えるべきだ」と言った。軍歌をならして都内をグルグル回るのは、けしからん。しかし、皇居から離れた場所で街宣するのには、何ら遠慮することはない、と言ったのだ。赤尾さんの方が、天皇の御心を体していたとも言える。また、競馬の「天皇賞」にも反対し、こんなものは廃止すべきだと言っていた。大相撲やアマチュアスポーツならまだしも、ギャンブルに天皇を利用してはならないと言う。今でも、なかなか言えないことだ。正論だ。

街宣車というと、今は「衆を頼んで弱い者いじめをする」「怖い」「うるさい」というイメージが強い。しかし、本当は、巨大な敵に立ち向かうための「弱者のレジスタンス」だったのだ。その原点にかえる必要があるだろう。

2　なぜだ!?　映画『靖国』が中国で上映禁止

（第22回　2009年4月1日）

そんな馬鹿な！「どうして中国では上映できないんですか？」と叫んでしまった。だって、「反日映画だ！」と右翼に攻撃され大騒ぎになった映画『靖国　YASUKUNI』が中国では上映できないという。〈監督が中国人だし、中国の「反日史観」に立って撮った映画だ。だから許せない〉と日本では攻撃された。右翼も国会議員も攻撃した。一部の週刊誌も攻撃した。

それで怖くなって、上映を予定していた映画館が全て上映中止した。前代未聞だ。「言論・表現の自由」の危機だ、とメディアでは議論が沸騰した。本当は週刊誌や政治家が火をつけた問題だが、右翼だけが悪役にされた。「映画を見もしないで攻撃している」「街宣車で威圧している」と……。「言論・表現の自由」の敵が右翼だと言われた。

そんな中で、「右翼だけが悪役にされてはたまらない」と立ち上がった人がいた。一水会《いっすいかい》の木村三浩《みつひろ》氏らが中心になり、ロフトプラスワンで右翼向けの試写会をやった。ロフトもよく引き受けたものだと思う。勇気がある。都内の右翼100人が集まり、それを見ようと集まったマスコミが60人ほどだ。試写会後の討論会は荒れに荒れた。「許せない。上映させるな！」という意見が多い。しかし、「無視したらいい」「我々も対抗して映画をつくり、文化庁から助成金をもらおう」「中国側の見方だから、こんなものだ」という意見も出た。

次の日の新聞に、これらの発言が載った。「俺達の発言も新聞に載るのか」と右翼は驚いた。街宣よりもこっちの方が効果があると思った。マスコミだって驚いた。「右翼にも多様な考えがあるんだ」「キチンと発言する人がいるんだ」と。

誤解、偏見が大きかったのだ。マスコミにも、右翼にも、一般の人々にも。この「試写会」は日本言論史上でも画期的な事件になった。この日を境にして、『靖国』上映中止騒動は終焉《しゅうえん》した。映画は全国で上映され、ヒットした。地方の自主上映会も100カ所以上で行われた。DVDも発売され、売れている。

それなのに当の中国では上映できない。「当の」と言ってはまずいのか。李纓《りいん》監督は何も中国の意向でこの映画をつくったわけではない。でも、攻撃する人々はそう思っている。

3月19日、李監督と会った。1年ぶりの来日だ。木村三浩氏、それに映画のスタッフとも会った。「あの時はお世話になりました」と監督は言う、でも、日本では大ヒットだし、アメリカ、韓国、台湾などでも上映され、高い評価を得ている。「じゃ、当の中国では大評判でしょう」と聞いたら、「いえ、中国では上映できません」と言う。

変な話だ。理解できない。日本では〝反日映画〟だといって攻撃され、上映できなかった。日本にとっての「反日映画」だから、中国にとっては「愛国映画」じゃないのか。中国政府は大喜びで上映させるはずじゃないのか。「ところが違うんです。日本に気がねしてるんです」と言う。日中関係を悪化させたくない、そう思って上映させないのだという。

うーん、よく分からない。中国から見たら「愛国映画」に思えるかもしれない。しかし、それでまた「反日暴動」が起こっては困る。さらに、「こんな反日映画をなぜ上映するのだ」と日本政府から抗議されるのが怖い。つまり、日本に遠慮し、配慮して、この映画を上映させないのだ、という。

「反日映画」が日本では上映でき、中国では上映できない。「ねじれ現象」だ。変な話だ。「確かに、ねじれ現象ですね」と監督は言う。でも、それは中国政府が遠慮しすぎだ。どんどん上映したらいい。また、日本からも右翼を呼んで、大討論会をやったらいい。中国で「ロフト集会」をやればいい。「それはいいですね」と李監督は言っていた。

李監督は日本語はペラペラだ。学校で習ったわけではない。独学で勉強した。三島由紀夫が好きで、三島の小説を読んで日本語を勉強したという。三島の『音楽』や『春の雪』は特に好きだという。日本の右翼運動にも詳しい。玄洋社、頭山満《とうやまみつる》などの話もする。日本に亡命してきた孫文を頭山たちは匿《かくま》った。「今回も右翼の人たちに助けられました」と言う。なるほど現代の孫文かもしれない。右翼に攻撃されたが、木村氏などの理解者を得た。また、右翼が騒ぐことで、結果的には映画もヒットした。

居酒屋で飲みながら、三島、右翼、ナショナリズム、領土問題の話になった。去年、僕は中国に3回行った。向こうの地図では台湾も同じ色で塗られ、「中国」になっている。ところが昔、台湾に行った時、地図を見て驚いた。やはり台湾でも中国大陸は同じ色だ。全体で「中華民国」になっている。今はたまたま中国共産党が不法に大陸を支配しているが、本当は我々（中華民国）が正当な政府だ。そういう意味だ。「大陸反攻」といって、大陸に攻め上り、共産党を打倒し、再び「中華民国」にする。昔はそう叫んでいた。今はそんなスローガンはないが、大陸への「主権」は譲らない。

李監督は台湾にもよく行く。「面白いことに、台湾の地図の方が〈中国〉が大きいんですよ」と言う。何のことか分からなかった。こういうことだ。中国の地図は、台湾も入って中国だ。ところが、台湾で売っている地図は、台湾だけでなく中国大陸も中国（中華民国）だ。さらにその中国大陸には「外モンゴル」も入っている。実際は、「内モンゴル」は中国領だが、「外モンゴル」は違う。しかし、台湾はそれを認めない。「外モンゴルを切り離し、中国共産党がロシアに勝手に売り渡したのだ。許せない。認められない！」と言うのだ。

これには驚いた。台湾が思っている「中国」の方が、実際の「中国」よりも大きいのだ。これも「ねじれ現象」かもしれない。しかし、そんな地図を見て、台湾の人々はうれしいのだろうか。また、本気でそのことを信じているのだろうか。

そういえば、戦争中の「日本地図」は巨大だった。朝鮮、台湾、満州、そして南の島々も、赤く塗られ「日本」だった。「太郎が大きくなる頃は日本ももっと大きくなるだろう」というような歌まであったという。それを見て、「大きな日本」に当時の人々は感動したのだろう。今から考えると愚かだが、そうは言えなかったのだ。

赤く塗られ、大きくなった「日本」は、さらに大きくなる。アジア全体、アメリカ、ヨーロッパも赤く塗られる。「日の丸で埋めよ倫敦《ロンドン》、紐育《ニューヨーク》」という威勢のいい標語もあった。地球上の陸地は全て「日本」になる。巨大な「丸い赤」になる。グルリを囲む海は「白地」だ。そう、地球全体が「日の丸」の旗になるのだ。そんなことを夢見たのだろう。台湾の地図を笑うことはできない。

3　美術館に展示された〈天皇〉（第50回　2010年5月12日）

ホッとした。安心した。よかった、よかった。5月9日（日）、無事、終了した。森村泰昌《やすまさ》さんの「写真展」だ。襲撃されるのでは……、作品が傷つけられるのでは……と、本気で心配した。だって、例の衝撃的な写真があったからだ。森村さんが昭和天皇に扮《ふん》している。「不敬だ！」「許せん！」と右翼の街宣車が押しかけるかもしれない。あるいは、見学者に紛れ込んだ右翼によって作品が破壊されるかもしれない。

僕も覚悟を決めた。だって、事前に見て、「これはいい。ぜひ、やるべきだ」「これは芸術だ」と強く薦めたからだ。会場の人には言った。「抗議に来る人がいたら僕の住所と電話を教えてやってください」と。僕が激賞した。僕が薦めた。「文句があったら、鈴木を襲え！」と。「推薦する」とは、それだけの覚悟がいることだと思う。

森村泰昌さんは世界的に有名なアーチストだ。「写真展」といったが、正確には「森村泰昌展・なにものかへのレクイエム　戦場の頂上の芸術」という。今年の3月11日（木）から5月9日（日）までの2カ月、行われた。場所は恵比寿《えびす》ガーデンプレイス内の東京都写真美術館だ。その2階展示室と3階展示室を使って行われた。期間も長いし、場所も広い。写真だけでなく、映像作品もある。

何といっても驚くのは、「三島由紀夫の演説」だ。巨大なスクリーンでは、三島が自衛隊員に向かって演説している。しかし、実は森村さんが三島に扮し、演説している。はじめは「三島の檄《げき》」だ。しかし、途中から現代の芸術批判、芸術家批判になる。森村さんの憂国演説になる。

他のスクリーンでは、ヒトラーになり切って演説している。でも、チャップリンの「独裁者」になったり、森村さんの言葉になったりする。また、硫黄島《いおうとう》での戦いもある。レーニンの演説もある。「写真」の方は、ピカソ、アインシュタイン、毛沢東、ゲバラ……などになり切っている。1960年の浅沼社会党委員長刺殺事件もある。殺される浅沼稲次郎も、殺す少年テロリスト・山口二矢《おとや》も森村さんが演じ、一つの写真に収まっている。ベトナム戦争、三島事件、ガンジーと、20世紀の人物・事件が次々と出てくる。

そして、ギョッ！　とするのが問題の写真だ。昭和天皇がマッカーサーと並んでいる例の写真だ。あまりに有名な写真だ。それを演じている。それに、2人とも森村さんが演じている。これもありだ、と僕は思った。20世紀の大事件、大人物を演じ、それによって20世紀を追体験している。〈歴史〉なんだから、やっていいだろう。そう思い、自分で自分を納得させた。しかし、その〈実物〉を目にすると、さすがにギョッとする。

森村さんは勇気がある。腹を括《くく》ったなと思った。写真展の前に僕に見せてくれたが、その段階ではもう決心していたのだ。レーニン、ヒトラー、毛沢東、三島由紀夫を演《や》り、とうとうここまで来たか、と思った。

そして、ソクーロフ監督の映画『太陽』を思い出した。ロシアの監督が昭和天皇を描いたのだ。その前に、ヒトラー、レーニンを主人公にした映画を撮っていた。「20世紀を映画で撮る時、やはり昭和天皇を欠かせない」と監督は言っていた。「ヒトラーやレーニンは大河のそばで鳴いているカエルのような存在だ。しかし昭和天皇は滔々《とうとう》と流れる大河そのものだ」と言う。それだけの敬意と愛情を持ってつくった。しかし、イッセー尾形が演じる昭和天皇があまりに似ていたこともあり、右翼からドッと攻撃された。「不敬だ！」「許せない！」と。映画館には街宣車も押しかけた。映画『靖国 YASUKUNI』と似た騒動になった。

天皇を取り上げると必ず右翼が騒ぐ。また、右翼に攻撃させようと新聞や週刊誌も煽ることがよくある。「これは不敬だ」「反日だ」と書かれると、「俺たちが動くしかない」と右翼は思うのだ。映画『靖国』も、「南京事件の写真が嘘だ」「靖国神社の描き方が反日だ」と右翼は攻撃した。それと同時に昭和天皇が何度も出てくるからだ。「そんな反日映画に天皇を出すとは何事だ」「不敬だ」となるわけだ。

マスコミも、だから〈天皇〉となると引く。触れないようにする。『太陽』『靖国』にしても、なるべく紹介したくない。客観的に紹介したつもりでも、その紹介の仕方が悪い、と右翼に攻撃されたらたまらない。そういう恐れがあるのだ。

森村さんの写真展は、大きな美術館で2カ月も行われた。マスコミとしても紹介せざるを得ない。しかし、例の写真については、どこも一切、触れない。「ないもの」として報道していた。多くのマスコミ人が取材に来た。テレビ局も皆、来た。でも、例の写真の前では皆、一様に「これは無理ですね」と言って避けて通った。「でも、NHKだけはちゃんと撮っていきました」と森村さんは言う。しかし、放映はできないだろうと僕は思っていた。

ところが、驚いた。4月18日（日）のNHK「日曜美術館」で、この写真が大きく紹介されていたのだ。NHKも勇気があると思った。写真展のことを取り上げながら、昭和天皇とマッカーサーの「会見写真」を、アートとして、歴史として紹介していた。姜尚中《カンサンジュン》さんが森村さんと対談してるし、「会見の場所」にも足を運んでいる。大阪にあるお茶屋さんだ。森村さんのお父さんがそこでお茶を売っていた。お父さんが亡くなってからは店を閉めている。しかし、趣のある場所だ。その場所で昭和天皇とマッカーサーの「会見写真」を撮ったのだ。

実は、「美術手帖」（3月号）は森村さんの特集号で、そこで僕は森村さんと対談をした。写真展の前だ。そのお茶屋さんで対談をやった。「ここが例の会見の場所ですか」と言った。例の会見写真は見ていたからだ。姜さんも、そんな話をしていた。

ＮＨＫは勇気があるし、立派だと思った。他の民放は全てやれなかったのに、ＮＨＫだけはやった。堂々と取り上げた。「日曜美術館」という時間枠だからできたのか。あくまで「美術」ということで時間を十分とって、解説し、放映したからか。これが短いニュース番組やワイドショーの中で紹介されたり、激しいトーク番組の中で取り上げられたら、こうはならなかっただろう。別な、嫌な反応が起こっただろう。

でも、僕は心配で何度か見に行った。巨大な会見の写真の前に立つと、圧倒される。「不敬だ」「許せない」と瞬間思う人がいても、その圧倒される迫力の前にはその感情は消えるのではないか。それと、不快感を持っても、まさかナイフで切ったり、破壊したりはできない。〈天皇〉を切ることになる。映画『太陽』でもそうだ。映画館は、スクリーンを切られることを心配したが、「切れない」のだ。天皇を切るわけにはゆかない。

写真展が始まる前は、こういう点に注意したらいいでしょうと、防衛上のアドバイスを少し、した。しかし、無用だったようだ。安心した。そして、変なことを思った。戦前・戦中は、全国の学校に奉安殿があり、御真影（天皇の写真）があった。学校が火事の時に御真影を持ち出そうと火の海に飛び込んで死んだ校長もいた。あるいは焼失させ、その責任を取って自殺した校長もいた。そんな話を聞いている。「会見」の写真を心配して何度も見に行ったり、防衛策をアドバイスしている僕は、御真影を心配している校長のようだなと思って苦笑した。

4 「暴力団排除条例」を考える

（第84回 2011年10月12日）

もちろん、暴力団には反対だ。なくなってほしいと思う。だから、今回の「暴力団排除条例」も、〈排除〉は当然だと思う。しかし、この条例には曖昧な部分もある。「暴力団への利益供与」「密接な関係がある」と認定されるとインターネット上で企業名が公開される。悪質だと判断されれば「1年以下の懲役または50万円以下の罰金が科せられる」可能性もある。

この暴排条例は10月1日から東京都と沖縄県で施行され、これで47都道府県全てで暴排条例が整うことになる。暴力団の宴席と知りながら、写真サービス業者が記念撮影の業務を受注したり、酒・生花・すし・そば・ピザなどの宅配業者が商品を届けることなども利益供与とみなされる。余興として所属歌手を派遣した芸能事務所や、会場を提供した不動産賃貸業者も罰則の対象になる。

でも、暴力団と知らないで届けたらどうか。また、どう見ても暴力団に見えない人が来て、大量に買って行ったらどうか。注文する人全てに、「あなたは暴力団ですか、違いますか？」と聞くわけにはいかない。

暴力団と知らないで配達し、後で暴力団と分かったらどうするか。「そうならないように、警察に相談しろ」と言うのかもしれない。少なくとも「疑問がある」「迷う」時は、警察に聞き、判断をあおぐことになる。ますます警察に頼ることになる。「でも暴力団が横行するよりは、警察が強くなる方がいいだろう」と言う人もいる。しかし、「究極の選択」をしてるのではない。警察国家化するのも嫌だ。

「みかじめ料」などの資金提供を遮断し、暴力団に一切、金が行かないようにする。それが第一の目的だという。繁華街、飲食店街を縄張りとする暴力団が、そこにある店などから「用心棒代」「ショバ代」を取り立てていた。そのかわり、何かもめ事があったら、すぐに駆けつけてくれて、解決してくれる。そういう「保険料」でもあった。その話を断ったら大変なことになる。だから店側は、恐怖で金を払っていた。

つまり、「加害者」と「被害者」として、今までは警察は見てきた。1992年の暴対法(暴力団対策法)をつくった時はそういう考えだった。だから、警察は被害者を守り、加害者の暴力団を徹底的に取り締まる。この方針でやってきた。ところが、暴力団は減らないし、暴力事件も多い。これは「被害者」だと思った商店主や民間人が暴力団に金を出しているからだ。進んで金を出す。あるいは脅かされて金を出す。どっちにしろ、金を出して暴力団の生活を成り立たせ、支えている。これは、もう「被害者」ではない。もう暴力団を支えている人間だ。だから、その関係をやめなければ、お前らも逮捕するぞ、という考えだ。

ここで店や、一般人の不安がある。「払ったら私たちも逮捕されます。だから、もう払えません」と「みかじめ料」を断りやすくなったと言う人もいる。生花、おしぼり……などを暴力団が押しつけるのも断れる。それをやりやすくなったと言う人もいる。しかし、店側は不安だ。「それに替わって警察が全部守ってくれるのだろうか」と。「暴力団の恐怖」と「警察の恐怖」と、どちらかを選択しろと言われてるようだ。

つまり「命をかけて暴力団と闘え！」と民間人に強制してるのだ。少しでも暴力団の脅しに屈したら、お前らも逮捕する！　と言っている。暴力団を取り締まるのではなく、「弱い民間人」をターゲットにし、脅しているようにも見える。

元警視庁刑事の北芝健さんに聞いてみた。

「その傾向はありますね。現場の警察官も皆、混乱してますよ」と言う。警察庁長官などのトップが独断で考え、やろうとしているのだと言う。日本の暴力団はアメリカやヨーロッパと違い、マフィア化していない。マフィアなら、公然と看板を掲げて事務所を持つことはないし、実話週刊誌に顔を出して喋ることもない。あくまでも地下に潜っているし、だからこそ怖い。

その点、日本はヤクザにしろ、暴走族、右翼、左翼にしろ、「顔」が見える。毎週、彼らを取り上げる雑誌もあって、売れている。警察トップにとっては、その現象は苦々しい思いだろうが、現場の警察官にしては取り締まりがやりやすい。何せヤクザは事務所を持ち、堂々と生きている。そこを監視し、取り締まっていればよかった。1992年の暴対法の時は、その監視、取り締まりを、もっともっと強化しよう、というものだった。それによって民間人を守ろうとした。

ところが、ヤクザ、暴力団は減らない。彼らに金を出し、持ち上げる雑誌もある。こいつらがいるから暴力団は生きているのだ、と警察トップは考えた。そして、ターゲットを民間人に変えた。そんな気がしてならない。

北芝健氏は言う。「ヤクザ、暴力団が全員地下に潜って、マフィア化したら、もっと大変なことになりますよ。それに外国マフィアも横行するし……」と。「俺たち警察は暴力団と命をかけて闘っている。だから民間人も協力してほしい」と言うのなら分かる。そうではなく、「お前らのせいで暴力団が生きのびている。だからまず、お前らを逮捕する」と言っているようだ。そんなことはないのだろうが、こうした民間人の不安を払拭してほしい。キチンと線引きを示し、警察の決意・覚悟を見せてほしい。

それと、疑問に思うことがある。1992年の暴対法の時は、大きな反対運動が起こった。「これは暴力団つぶしと言いながら、全ての団体、つまり左翼や右翼の弾圧も狙っている」と。テレビ討論会でも激論が闘わされた。現役のヤクザの幹部もテレビに出て、「我々は暴力団ではない。任俠道を実践する人間だ」と言っていた。遠藤誠弁護士や右翼の野村秋介《しゅうすけ》さんなどが中心になり、「暴対法反対」の集会やデモも行われた。野村さんに言われて僕も出た。ヤクザの妻たちのデモもあった。「極道の妻たちのデモ」だ。「私たちは暴力団ではない！」「ヤクザも人間だ。生きる権利がある！」と書かれたプラカードを持ってデモをした。「極妻デモ」も、僕らのデモも、当時は「漫画だ！」と馬鹿にされた。しかし、雑誌、テレビも含め、論議する自由はあった。言論は自由だった。ところが今は、そうした自由は全くない。この条例を批判したら、「暴力団に味方するのか！」と怒鳴られる。あるいは「利益を提供した」と難癖をつけられて捕まるかもしれない。そんな不安がある。政治家だって反対しない。１９９２年の時よりもずっと、言論は不自由になった。また、警察を刺激して、目をつけられるのが怖いのだ。

「正論」は大切だ。それとともに、それに反対し、疑問を持つ「異論」「暴論」もあってこその言論の自由だと思う。それがなくなり、窮屈になってきたような気がする。

第四章　差別と格差

1　「中国といかに向き合うか」を考えた

（第136回　2013年10月16日）

実にタイムリーな企画だった。だって、テーマは「異質な隣人・中国といかに向き合うか」だ。藤野彰《あきら》さんを迎えて3時間、話し合った。というよりも、藤野さんに話してもらい、僕は一方的に質問した。中国問題では藤野さんは最も詳しい。元読売新聞中国総局長で、今は北海道大学大学院教授だ。中国での記者生活は長い。大学時代から中国語を勉強していたというし、読むのも喋るのも堪能だ。中国問題については、当の中国人よりも詳しい。北大では「現代中国論」を教えているが、何とそこには中国からの留学生も数十人いる。その留学生が「現代中国のことを初めて知りました」と驚く。当日、その留学生たちもこのシンポジウムを聞きに来てたから、本当だ。

10月12日（土）、札幌で藤野彰さんと話したのだ。「鈴木邦男シンポジウムin札幌時計台」を2カ月に一度、やっている。今までのゲストは、鈴木宗男さん、中島岳志《たけし》さん、山口二郎さんだ。そして今回は第4回で、藤野彰さんだ。この集まりは、「北海道新聞」にも紹介されたし、皆、関心のあるテーマだし、会場は満員だった。

このシンポジウムの主催は、地元の出版社・柏艪舎《はくろしゃ》だ。ここから僕は2冊の本を出している。『日本の品格』と『秘めてこそ力』だ。「本を出すだけでなく、シンポジウムをやりませんか」と柏艪舎の山本社長に言われ、今年から始めた。主に、北海道にいる作家・大学教授・政治家・評論家の人たちと話し合う。今まで会うこともなかった人と会える。ゲストの人もそうだが、聞きに来る人もそうだ。これはうれしい。昔の大学時代の仲間や、遠い親戚の人なども来てくれて、会った。さらに、会場の「札幌時計台」がいい。

札幌で最も有名な観光スポットだから、札幌時計台は誰でも知っている。しかし、その2階がホールになっていて、音楽会や講演会に使われていることを知ってる人は少ない。僕も知らなかった。素晴らしいホールだ。だから予約も一杯で、僕のシンポジウムも、かなり早めに予約している。おかげでもう来年の5月まで予約が決まっている。

さて、10月12日のシンポジウムだ。このテーマがタイムリーだったと言ったが、もう一つ、タイムリーなことがある。つい2カ月ほど前、藤野彰さんの本が出版されたのだ。柏艪舎からだ。その題名が実にいい。『嫌中」時代の中国論――異質な隣人といかに向きあうか』だ。そうだ。今はまるで「嫌中」時代だ。テレビでも新聞でも連日、中国の批判・悪口ばっかりだ。「こんな国はロクな国ではない」「日本に文句ばかりつけてくる」「こんな国ともう付き合うな」「中国のものは食うな」……といった記事ばかりだ。本屋に行くと、「なぜ中国はダメか」「こんな国はもうすぐ滅びる」「〝戦争も辞さず〟の覚悟で領土問題に取り組め」「戦争になっても日本は勝てる」……といった本ばかりが並んでいる。また、これが売れている。「読んで気分がスッキリした」という人が多いのだ。ひどい話だと思う。

アンケートや世論調査をすると「中国なんか嫌いだ」と答える人が多い。80％以上の人が「嫌いだ」と答えたアンケートもあった。じゃ、その人たちは実際中国に行き、中国を見、中国の人々と話したことがあるのか。ないのだ。テレビや新聞の報道だけを見て「中国は横暴だ」「反日デモをやっている」……と知り、条件反射的に「じゃ、そんな中国なんか嫌いだ」と思ってしまう。知らないで、ムードだけで反撥してしまうのだ。

藤野さんは本の中で言う。「中国を好きでも嫌いでも構わない。だが、その前に、知ってほしい」と。

〈「中国嫌い」でも、「中国知らず」では済まされない！〉

〈隣国の「現実」を直視したい人のための中国論〉

と、本の帯には書かれている。10月12日のシンポジウムでは、この本から始めて、中国を語り始める。「中国は皆、反日デモをやっている」「中国人は皆、日本が嫌いだ」「中国には一切、言論の自由がない」「共産主義の国で、自由は何もない」……と、皆さんは思ってませんか、と藤野さんは言う。一面だけを見て、全部分かった気になっている。「どうしようもない国だ」とレッテルを貼って、決めつけている。そうしたらもう対話も何もできません、と言う。「レッテル貼りは便利で、すぐに分かった気にさせる。でも、一番危険です」

そして、こう言う。

「例えば鈴木さんに、〝右翼〟というレッテルを貼って、それで理解した気になっている。〝右翼〟というと暴力的で、すぐカッとなって、話し合いのできない人。というイメージを持ってしまう。しかし、会ってみると違うでしょう」と言う。だから、中国もレッテルを貼って、それだけで分かった気になってはダメだ、と言う。そうか、僕は「中国」なのか。中国と同じ「レッテル貼り」をされている。同じ被害者だ。

藤野さんの話で初めて知ったことが多い。中国共産党は決して一枚岩ではなく、いろんな考えの人がいる。そして柔軟性がある。硬直していた旧ソ連とは根本的に違う。だから、旧ソ連のように簡単には崩壊しないという。「中国はいずれ崩壊する」という〈楽観論〉で見ていてはダメだ。また、政治的・歴史的認識の違いはありながら、中国の若者には日本が好きな人が多い。特に音楽、アニメなどは大人気だ。こんなに「日中対立」が言われながら、中国からの留学生は多い。このシンポジウムの後、打ち上げに行ったが、藤野さんの教え子（中国人留学生）が何人か来た。話を聞いたが、そのとおりだと思った。中国では「反日教育」をしてると言われる。自国の歴史を教える時、日本の侵略に触れざるを得ない。それをもって「反日教育」と即断するのは、ちょっと違うだろう。現に、毎年、何万人もの留学生が日本に来ている。それに、日本に来たら、中国では教えてないことも耳にする。例えば、中国では天安門事件についてはネットでも出てこない。知らされない。また、中国共産党に対する批判などは一切出ない。ところが、日本では情報は何でも手に入る。むしろ、中国に否定的な情報が圧倒的だ。それを留学生は耳にする。目にする。そんな情報、多元的な価値観を持った留学生たちが中国に帰ってくる。それでも中国は「鎖国」しないし、世界にどんどん出て行っている。そこに中国のしたたかさがある、と言う。

中国は「遅れてきた富国強兵国家」であり、その成長に幻惑されて、ただ罵倒してみてもダメだ。中国と日本という、東アジア大国間の摩擦増大は歴史の必然である。だから、領土問題、歴史問題は、その上で冷静に話し合うべきだ。そして、今の日本のような「対決ムード」をたしなめる。そして言う。

〈「非平和的手段」による「現状」打破は国際社会に受け入れられない〉

そのとおりだ。まずこれを確認しなくてはならない。その上で、ではどうすればいいのか。「日中関係再構築への7つの提案」を藤野さんは言う。

①尖閣危機は対中戦略を再考するチャンスである。
②「協調」と「警戒」のはざまで「相利共生」を模索する。
③中国に対する「門戸開放」を堅持する。
④国民レベルで中国理解の裾野を広げる。
⑤長期戦略で中国の「知日派」を育てる。
⑥中国の水面下の理性に耳を傾ける。
⑦「第三の目」で日中関係を見つめる。

僕ら国民一般レベルでは④以下が重要だ。藤野さんは、先頭に立ってそれをやっている。中国の「知日派」を育てている。「日本を知って、その上で嫌いになってもいい。よく知ってくれる人を増やすことだ」と言う。なかなか言えないことだ。また、長い記者生活を振り返って、こんなことを言う。

〈在日留学生らの中には優秀な人材も少なくないですから、長期的には外国人を記者として採

用することをもっと真剣に検討してもいいのではないでしょうか〉
〈今や民間企業、シンクタンク、大学など多くの組織は、国籍に関係なく、優秀な人材を求め、実際に活用しています。日本メディアは日本社会の国際化の重要性をいつも訴えているにもかかわらず、自らの組織の閉鎖性にはほとんど無頓着です〉
これには驚いた。そのとおりだ。僕も昔、新聞社に勤めていたが、こんなことは考えてもみなかった。全く「無頓着」だった。ガーンと頭をなぐられた思いだった。多くのことを考えさせられた一日だった。

2　僕を守ってくれた人たち

（第140回　2013年12月11日）

「鈴木邦男さんにはご遠慮願いたい」と言われた。またか、と思った。言葉は丁寧だが、内容は残酷だ。対談や座談会が決まって、公表され、その後に言われる。今回もそうだ。「はい、分かりました」と言うしかない。反論したり抗議したりすると、「ほら見ろ、右翼だから難癖をつけてくる。嫌がらせだ」と言われる。いや、言われるのではないか……と思って、何もできない。

こんなことは今まで何十回とあった。100回以上あったかもしれない。これだけで1冊の本が書けるだろう。右派系のシンポジウム、左派系のシンポジウム、両方からある。どっちからも僕は嫌われているようだ。発表した後で、「何でこんな奴を入れるんだ」と（仲間うちから）批判され、慌てて「鈴木さんにはご遠慮願いたい」となり、降ろされるわけだ。

そうだ、こんなこともあった。法律や法案に反対して「賛同人」になってくれ、と言われることは多い。承諾して送る。ところが、「申し訳ないが鈴木さんにはご遠慮願いたい」と言ってくる。右でも左でも、いろんな人が賛同人になった方がいいだろう。そう思うが、どうも違うようだ。「鈴木なんかが入ると、運動が汚れる。誤解される」。そう思うようだ。賛同人を降ろされるなんて僕くらいだろう。それだけイメージが悪いし、嫌われている。自分の責任だ。

大学のサークルから呼ばれても、実現したケースよりは中止になった方が多い。仲間や、学内の左翼、右翼。あるいは教授から言われる。「何で、こんなのを呼ぶんだ」と。きれいな大学のイメージが汚されると思うのか。

ある時、辛口評論家で有名な呉智英《くれともふさ》さんと僕が早大で呼ばれた。2人で大隈《おおくま》講堂で対談してくれと言う。快諾した。ところが、学内の左翼に脅された。「右翼はテロリストだ。そんな人間を早大に入れたら許さない」「その時はお前たちを襲撃する」と。どちらがテロリストか分からない。主催のサークルに僕は言った。「僕は降ります。呉さんだけでやってください」と。ところが呉さんが激怒した。

「なぜ俺は攻撃されないのか！」と。「鈴木は危険思想だし、学生に悪影響を与えるからと拒否した。じゃ、俺は安全なのか！」と。「安全・無害」と思われて俺は攻撃されない。おかしい。「俺の方が鈴木よりも危険なんだ。鈴木は、せいぜい反自民・反米国だ。ところが俺は、今の日本の全てを否定している。天皇制も民主主義も否定している。政権を徳川さんに返せ。封建主義の時代に戻せ、と言っているのだ。そんな危険な俺は放っておいて、なぜ鈴木だけを攻撃するんだ」と。凄い人だと思った。でも呉さんの講演会は実現した。

中には、断固として守ってくれた人もいた。新左翼過激派の戦旗派代表だった荒岱介《あらたいすけ》さんはシンポジウムに僕を呼んでくれた。ところが、皆、反対した。大学で左翼運動をやり、右翼学生とは日々闘い、恨みがある。それなのになぜ、右翼を呼ぶんだ。そんなことをしたら、ここを辞める。そう言って荒氏につめ寄った。荒さんは何と、「じゃ、辞めていいよ」と言って、僕を呼んでくれた。実際、辞めた人が何人かいた。「仲間」を捨てて「敵」である僕をとった。ありがたいし、申し訳ない。

辛淑玉《シンスゴ》さんも覚悟のある人だ。昔、2人で対談する企画があった。札幌だ。ところが、主催者から「鈴木さんにはご遠慮願いたい」と言ってきた。「分かりました」と僕は言った。辛さんだけの方が人が集まる。僕が主催者でも、そうする。しかし、辛さんは激怒した。「鈴木さんを降ろすのなら私も行かない!」と言った。「僕が降りれば済む話ですから」と、辛さんに言ったが、絶対、聞かない。主催者は根負けして2人を呼んでくれた。それ以来、辛さんには感謝・感謝で、頭が上がらない。

「のりこえねっとの共同代表になって」と電話があった時も、「よく分からないけど辛さんの言うことは何でも賛成です」と、即答した。後で聞いたが、在特会などのヘイトスピーチに反対する集まりだった。だから、今年の9月25日、その「のりこえねっと」設立記者会見に僕も行った。打ち合わせの時、「鈴木さんは内容も聞かずに賛同してくれたのよ」と辛さんが言ってた。「それは言わないでください。何も考えないで賛同した人がいると思われたくないので」

と他の人たちに言われていた。会見直前だからよかった。何日か前なら、また「ご遠慮願いたい」と言われただろう。

今、「のりこえねっとTV」は週1回、ニコ生（「ニコニコ生放送」の略。インターネット配信の一つ）の中で放送している。12月4日、辛さんに呼ばれて、そこに出た。「辛さんには本当にお世話になってます。札幌での講演会の時は、涙が出ました」と言った。こんな右翼なんてご遠慮願って当然なのに「だったら私も行かない」と言ってくれた。こんな人は他にいません、と言った。「そんなことあったかしら」と辛さんは言う。気を使ってくれてるのだ。

「それより、私は〝鈴木語録〟をスクラップしてるのよ」と言う。驚いた。新聞や週刊誌で喋ったことを切り抜いてるという。ヘイトスピーチする人たちは、自分たちが気にくわない人たちに「お前は朝鮮人だろう！」と言って批判する。批判された人間は「いや朝鮮人じゃない。れっきとした日本人だ！」と言って反論する。弁解する。「でも私たち在日は、そんな反論の仕方にカチンとくるのよ」と言う。直接に「朝鮮人が！」と言われるよりも、「いや朝鮮人でない！」と弁解する日本人に違和感を持ち、反撥するという。

「その点、鈴木さんは凄いよね。〝朝鮮人〟と批判された時に、〝僕のルーツを教えてくれてありがとう〟と言ってたのよね。これは、なかなか言えないよ」

あ、そんなこともあったな、と思い出した。「朝鮮人」と批判された時、「いや違う！」と必死に弁解するのも何か嫌だった。それに昔から中国、朝鮮、また南からも多くの人たちがこの日本にやってきて、そして日本人ができた。僕のルーツだって分からない。そのことを言ったんだ。辛さんのようなキチンとした問題意識があって言ったわけじゃない。でも、多くのことを学んだ。「弁解」の言葉一つにしても、かえって人を傷つけることがある。「民族派」だなんて自称しながら、民族、民族意識についてもロクに勉強してこなかったと反省した。このことについてはまた、ゆっくりと辛さんに教えてもらいたいと思った。

3 大杉栄が生きた時代と今

（第170回 2015年2月25日）

2月21日（土）、新潟県新発田市に行ってきた。〈大杉栄メモリアル2015 うたと言葉で日本の近現代史を振り返る〉に参加するためだ。新発田は大杉栄が5歳から15歳までの子供時代を過ごした町である。そこで毎年、〈大杉栄メモリアル〉という集会が行われている。大杉は『自叙伝』で、こう書いている。父は軍人で新発田に転任になった。〈僕も十五までそこで育った。したがって僕の故郷というのはほとんどこの新発田であり、そして僕の思い出もほとんどこの新発田に始まるのだ〉

新発田の公園には、大杉が遊んだイチョウの木があり、町の写真館には大杉が友人たちと来て写した写真が飾られてある。そして毎年「大杉栄メモリアル」が開かれ、全国から多くの人が集まる。ここでは大杉はまだ生きている。そう感じた。

このメモリアルには毎年、講師が来て大杉の話をする。また、大杉に関係のある映画上映や歌の演奏会が開かれる。大杉栄の甥の大杉豊さん、鎌《かま》田慧《たさとし》さんなどが講師で来ている。僕も2回ほど講師で来た。その他、一般客としても何度か来ている。

今、ぱる出版から『大杉栄全集』が刊行されている。それも記念しての「メモリアル」だ。

新発田市生涯学習センターで午後4時から行われた。第1部は、ソプラノ歌手、柳本幸子《やなもとさちこ》さんの「自由・愛・平和＝大杉栄の世界をうたう」だ。クラシックや民族音楽などをたっぷりと歌い上げる。第2部は、僕の講演で「大杉栄の眼《め》で現代を観《み》る」。テーマは主催者から与えられたものだ。刺激的だ。それから栗原康《やすし》さん（東北芸術工科大学講師）の舞台挨拶がある。栗原さんは、去年『大杉栄伝――永遠のアナキズム』（夜光社）を出し、これが評判を呼んで、2014年度の「いける本」大賞を受賞した。

大杉栄が今、生きていたら何を思い、何と発言するだろう。どんな行動をとるのだろう。大杉が死んだのは1923（大正12）年9月だ。関東大震災の直後、伊藤野枝、橘宗一とともに麴町《こうじまち》憲兵隊に拘引、虐殺されたのだ。それから91年が経っている。「日本は全く進歩していないじゃないか。91年前と同じだ」と大杉は怒るのではないか。だって、他民族蔑視、排外主義は全く同じだ。

関東大震災の時は、その騒乱の中で多くの朝鮮の人たちが殺された。「朝鮮人が井戸に毒を流している」などのデマが流され、自警団による「朝鮮人狩り」が行われ、多くの朝鮮人が殺された。また、「朝鮮人だろう」と言われて殺された日本人もいた。しかしそうした恥ずべき虐殺行為は、大震災が発生し突然、行われたものではない。そのずっと前から朝鮮人蔑視の空気が広くあったからだ。今、ヘイトスピーチのデモが行われ、書店では中国・韓国に対するヘイト本が大量に出ている。同じような状況があったのだ。それに日清、日露戦争に勝って、日本は世界の一等国に立ったという驕りが生まれた。今まで大国だと思っていた中国、ロシアに勝った。日本は神の国だと思った。中国、朝鮮への蔑視、差別は全国を覆った。という中で、関東大震災が起こる。「なぜだ、なぜだ」と思った。神の国だと思い、いざとなったら神風が吹く。元寇《げんこう》の時も日露戦争の時もそうだった。それなのにこの大震災は何だ。そんな混乱の中で、「朝鮮人が井戸に毒を入れている」という噂が流れた。「そうだ、そうだ」朝鮮人をやっつけろ、といきり立った。多くの朝鮮人が捕えられ、殺された。

弁解のできない虐殺だ。歴史の恥だし愚行だ。ところが91年経って今、この虐殺を弁護し正当化する本が何冊か出ている。どれも高名な作家が大きい出版社から出している。読んでみたら驚いた。「あれは虐殺ではない」と言う。朝鮮人は動乱に紛れて、暴動を起こそうとした。日本人を殺そうとして、準備・計画した。皇室の人々をも殺そうとしたのだ。それを知って警察や軍隊、それに自警団が彼らの計画を阻止すべく捕えたのだという。また、動乱・衝突もあり、その中で「正当防衛」的に闘ったのだ、と言う。

うーん、そこまで言うのかなと思った。今、保守派を名乗る人が急増し、「日本は悪いことは何一つしない」「あの戦争は正しかった」と主張している。「南京大虐殺はなかった。従軍慰安婦はいなかった」と言っている。それが進んで「関東大震災で朝鮮人が殺された、というのも嘘だ」と言っているのだ。自警団が朝鮮人を捕えている様子はずいぶんと目撃されている。また、朝鮮人と間違えられて捕まった日本人の証言もある。だから「なかった」とは言えない。それに「いや、暴行・殺人はあったかもしれないが、それら全ては日本人の〈正当防衛〉だったんだ」と言う。

じゃ、その震災の騒乱の中で捕えられ、殺された大杉栄も、そうなのか。日本人の「正当防衛」なのか。左翼やアナキズムを信奉する人間なんて、もはや日本人ではない、朝鮮人と同じだ、日本から出て行け！　と思っていたのだろう。そんな排外主義的な日本に大杉は怒っていたのだろうか。

そんなことを思い、講演の時もそれを話した。大杉は何よりも〈自由〉を求めた人だ。「僕は精神が好きだ」の中で言っている。

〈思想に自由あれ。しかしまた行為にも自由あれ。そして更にはまた動機にも自由あれ〉

大杉は、人間にレッテルを貼りつけて、罵倒するような人間ではなかった。どんな人間にも温かく接し、相互の「自由」を認める。あくまでも「自由」を尊重する。

それに大杉はこうも言った。「今は左右を弁別すべからざる状況だ」と。さらに「愛国者」にも期待をした。「こいつは極左だ！」とレッテルを貼り、「日本から出て行け！」などと言う人間がいる。デモもやられている。今も同じだ。そして、「中国は終わった」「韓国とは断交しろ」と叫ぶ人々も多い。大出版社でさえ、売れるとなれば民族差別的な本も出す。たくさん出している。それを読んで「気分が晴れた」「スッキリした」と思う人間も多いのだ。なさけない。

「何も自分の社が1冊出したために、中国と戦争することはないだろう」と大出版社は思っているのだ。読んでスッキリした読者も「面白そうだから買ってみただけだ」「僕らは何も悪いことをしていない」と言うだろう。でも憎しみや差別が充満した状況は危ない。恐ろしい。何かあったらすぐに火がつく。気をつけなくてはならない。

4 「ラスコーリニコフの社会」について考えた

（第1711回　2015年3月11日）

前回、「大杉栄メモリアル2015」のことを書いた。2月21日（土）、新潟県新発田市での集会だ。その時、挨拶をした栗原康さんから衝撃的な話を聞いた。それがずっと頭の中に残っている。栗原さんは大杉栄の研究者で、『大杉栄伝』という著書がある。とてもいい本だ。2014年度の「いける本」大賞を受賞した。今、東北芸術工科大学の講師をしている。36歳だ。他にも何冊か本がある。一番新しい本は、変わったタイトルだ。『学生に賃金を』（新評論）だ。これだけだと、あれ？　何だ。と思ってしまう。でも、栗原さんから新発田で、学生時代の苦しい生活を聞いていたので、「あっ、あのことか」と分かった。この本の帯には、こう書かれている。

〈ありえないほどの高学費。奨学金という名の借金。バイト・就活漬けの日々。…学生生活はなぜここまで破壊されてしまったのか!?〉

ここで違和感を覚えたのは、「奨学金という名の借金」だ。貧乏で、でも勉学意欲に燃えてる人のために奨学金はある。僕らの時代にも、多くの人が奨学金をもらっていた。卒業して就職してから少しずつ返せばいい。催促なんかない。それに、学校の先生になれば、もう返さなくてもいい。とてもいい制度ではないか。新発田でも、栗原さんにそう聞いた。ところが今は全く違うという。まず「先生になったら返さなくていい」というのはなくなった。それに取り立てが厳しい。さらに、今は就職も厳しいし、決まらない人もいる。フリーターもいる。でも、取り立てはガンガンと来る。

「自分は大学を卒業し、社会に出た時、600万の借金がありました」と言う。奨学金だ。仕事はなかなか見つからない。大学院を出た人などは、1000万近い借金になるという。大学の講師になろうと思っても、なかなかなれない。どうしても返せない人には猶予の制度もあるが、それも数年で切れる。日本学生支援機構の返済取り立ては半端なものではなく、「財産差し押さえの裁判」も急増したという。6年前、年間5件くらいだった裁判が、今は年間6000件を超えてるという。怖すぎる話だ。巨額の借金を抱えたまま社会に放り出される若者が多いのだ。

「そんな借金を抱え込む奨学金なら、いらない」と思う学生もいるだろう。「そんな学生は学校にほとんど行かないで、バイトばかりしているんです」と言う。これじゃ、何のために大学に行くのか分からない。

若者に厳しい社会だ。昔の奨学金の方がずっとよかった。また、県人会の寮もあって、安く生活できた。地方の企業なども支援していた。前に、出光佐三《いでみつさぞう》さんの甥に会った時、言っていた。出光は石油でずいぶんと金を儲《もう》けたけど、ずいぶんと社会に還元してるんです。美術館をつくったし、学生を留学させたり……と。国家がやれないことをやっていた。しかし、今はできない。「そんな金があるなら社員に回せ。株主に回せ」と言われる。学生、若者を応援しようという気持ちがないのかもしれない。国にも、社会全体にも。

「今は月に1冊も本を読まない学生が4割以上いる」と新聞に出ていて、憤慨したことがある。学生の〈仕事〉は本を読み、勉強することだ。本を読まない学生ならばクビにしてしまえと思った。でも、栗原さんの本を読むと、今の学生にも同情してしまう。本なんか読んでいられないんだ。必死にバイトしないと。そうでないと、巨額の借金を抱えて社会に放り出されてしまう。金持ちの子供しか大学に行けないのでは、日本の将来も危うい。栗原さんは言う。

〈ひとを負い目でしばりつけ、はたらくことに必死にさせるのが学費（授業料＋生活費）と借金である。大学の学費をタダにして、返さなくてもいい奨学金を創設しよう。大学の無償化は、真の自由を手にするのとおなじことだ〉

ちょっと極論かな、と思うが、そこまで切羽詰まっているのだろう。僕らが学生の頃は、県人会の寮や親類の家に下宿という人が多かった。アパートは3畳一間というのが普通だった。電話も風呂も、テレビもない。メシは食わなくても本を読む。そんな学生が多かった。大学に入る学力はありながら、お金がないので2年間働いて、お金を貯《た》めてから入学したという学生もいた。入れる時に入って、あとはバイトするか奨学金をもらう、と普通なら考えるだろう。それに、居酒屋もなかったし、携帯もなかった。金も使わなかったと思う。

でも、そんな昔に戻ることはできない。じゃ、「大学の無償化」と「返さなくていい奨学金」で問題は全て解決するのだろうか。ますます勉強しない学生が増えるかもしれない。そんな危惧もある。ただ、問題は切実だ。少なくとも、勉強したい学生が勉強できる環境、条件をつくることは必要だ。そうでないと、大学はもう「学問の府」とは言えなくなる。「学の自由」も「学の独立」もなくなってしまう。

新発田から帰ってきて、またもや衝撃的な本を読んだ。鈴木大介『老人喰い──高齢者を狙う詐欺の正体』（ちくま新書）という本だ。オレオレ詐欺、振り込め詐欺をする人間たちのことを取材した本だ。弱い老人から金をだまし取るなんて許せない。どうやったら防げるか。それを書いた本だと思った。ところが違う。犯罪者たちを取材した著者も驚き、戸惑っている。犯人たちは「優秀で、努力家で、モチベーションも高い」という。そんな馬鹿な、と思った。でも、格差社会にあって、才能、努力を活かすには他の手段がないのか。「なんという人材と才能の消耗・浪費なのだろうか」と著者は言う。そして、こんな極論まで言う。

〈そうした世の中に、若い彼らを放置し、押し込めて、そうした日本を作り上げてきたのは、まさにいま犯罪のターゲットになっている高齢者自身に他ならないのだから〉

凄いことを言う。「加害者」「被害者」の概念を逆転させてしまう。ドストエフスキーの『罪と罰』のラスコーリニコフの心境になってるのではないか、全員が。こんなに優秀な若者がいる。でも生活できなくて苦しんでいる。一方、大金を持ったまま何もしないで、そのまま死んでゆく老人たちもいる。その金を取って、若者に回す。日本の経済も回る……そう考えているようだ。次の世代のことを考え、そのために金と手間をかけるべきなのだ。それを老人たちはやってこなかった。〈奪われる前に与えていれば、こんなことにはならなかった〉とまで言う。いくら何でも、言いすぎだろう。そう思いながらも、頭が混乱した。そして、週刊「AERA」（3月16日号）に書評を書いた。もちろん、これが学生や若者を代表するものではない。極端な例だろう。だが、貧しくて、でも勉強したい学生は、巨額の借金を抱えて社会に放り出される。一方、そんな社会をつくった老人たちに逆襲する若者もいる。これは、真剣に考える必要のある問題だ。

5　ソウル大学で、ヘイトスピーチについて話してきた（第172回　2015年3月25日）

韓国に行ってきた。ソウル大学で講演を頼まれたのだ。海外は久しぶりだ。1カ月前に慌ただしく決まった。決まってから「あっ、パスポートは大丈夫かな」と思って探した。あった。まだ有効だ。ホッとした。3月17日（火）昼、羽田《はねだ》を出発。2時間でソウルに着く。金浦《キンポ》空港だ。タクシーでソウル大学に行く。そこの構内にあるホテルに泊まるのだ。ソウル大学ホアム教授会館という。夕方、街に出て歩く。リブロという大きな書店に入る。池袋にも同じ名前の書店があるが、別に関係はないようだ。村上春樹、宮部みゆき、三島由紀夫、松本清張……など日本の本も多い。日本だと、「反中・嫌韓本」がやたらと多い。「売れるから」と大きな出版社でも出している。そんなものを読んで、「気分がスッキリした」と思う人もいるんだ。なさけない。だったら、ソウルだって、あるだろう。「日本なんて嫌いだ」「文化は我々が教えてやったのだ！」という本がたくさんあると思った。ところが全くない。「そんな本を出して面白いですか」と聞かれた。僕は、面白くない。しかし、面白いと思う人はいるんだ。

韓国は「反日デモ」があったし、子供の時から「反日教育」をしている。「反日国家だ」と思ってる人が多い。日本ではヘイトスピーチで、「韓国人は死ね」なんて言っている。本屋では、「韓国はもう終わりだ」「こんな国と国交をやめろ」などという本が並んでいる。「なぜ韓国人には心がないのか」という本もあった。ひどい話だ。心がないのはお前たちだろう、と出版社に言いたくなった。

「今、韓国に行ったら卵をぶつけられるぞ。特にお前は右翼だから、殴られるよ」と心配してくれる人もいた。日韓では互いに憎しみ合ってる、と思っているんだ。僕は、そこまでひどくはないが、卵をぶつけられたり、殴られたりぐらいはあるかな、と思い、覚悟して行った。でも、それは全くの杞憂《きゆう》だった。皆、友好的だ。「息子が京大に行ってる」「娘が早稲田に行ってる」と誇らしげに話す人もいる。日本のアニメ、歌が好きだという人もいる。また、韓国のK－POPが好きで来ているという日本人にもずいぶんと会った。いいことだ。でも、政治家やマスコミのレベルでは、「日韓は最高に冷え切っている」し、「憎み合っている」。一触即発だという。実際、政治家や保守派の文化人の中には、「なめられるな」「島は1ミリたりとも譲れない」「戦争を辞さずの覚悟で対決しろ」と言う人もいる。「戦争を辞さずの覚悟だ」なんて、あまりに無責任だ。このくらいは大丈夫だと思っても、いつ、どんな時に衝突するか分からない。

とにかく、日韓の実際のところが見えてない。だから、この機会にずいぶんと歩き回り、話を聞いた。3月18日（水）は、安重根《アンジュングン》義士記念館、戦争記念館を見た。夕方4時からはソウル大学で講演だった。大学生を前にして1時間話し、1時間質問を受ける。かなり本音で話し合いが出来たと思う。終わってから先生たちと食事をした。

3月19日（木）は、国立中央博物館。そして西大門《ソデムン》刑務所歴史館。さらに、景福宮《キョンボックン》を見る。王宮だ。閔妃《ミンピ》が殺された場所も見た。そして、夕方、金浦空港を出発し、羽田に。慌ただしかったが、自分にとってはとても勉強になった。知らなかったが、ソウル大学を中心にして、日韓友好交流のイベントがたくさんあったのだ。僕が呼ばれたのは、〈第180回　日本専門家招請セミナー特別講演〉だった。もう180回もやってるんだ。この前179回は舛添《ますぞえ》都知事だった。「日本専門家」を呼んで、学生に聞かせ、討論してもらおうというのだ。「専門家」ってどんな人だろう。「政治家や大学教授が多いですね。毎回、評判になってます。でも今回が一番、評判になってます。だって、日本の右翼ですから」と言う。新聞やネットでも紹介され、新聞記者もかなり来ていた。右翼なんて、「日本専門家」になるのかな。この日の僕の講演のテーマはこれだ。

〈私はなぜヘイトスピーチを嫌うのか：日本の右翼がみる日本のネット右翼〉

しかし、「右翼」と「ネット右翼」なんて、分かるのだろうか。ところが分かるのだ。ソウル大学の大学院生を対象に話したのだ。それも日本研究所の学生だ。日本語はもちろん、日本のことはかなり詳しい。日本研究所所長で、ソウル大学教授の朴喆熙《パクチヨルヒ》さんが僕を呼んでくれたのだ。朴さんは日本の政治だけではなく右翼のことも調べている。『代議士のつくられ方──小選挙区の選挙戦略』(文春新書)という本も書いている。朴先生とは去年の1月に東京で会った。日本にはよく来ている。山口二郎さん(法政大学教授)に紹介されて会った。朴さんには日本の右翼のこと、ヘイトスピーチのことを聞かれた。「今度、ソウルに来て話してくださいよ」と言われた。「うれしいですね。ぜひ行きたいです」と答えたが、まさか実現するとは思わなかった。それだけに、うれしかった。

日本人だからといって冷たい目で見られることはなかった。これは驚いた。また、ソウル大学ではこんなに日本と友好交流しようというイベントをやっている。名古屋大学の学生も交流で来ていて、一緒に参加していた。日本にいると、こういうことは全く知る機会がない。「仲よく」「話し合い」はニュースにならないのだ。対立し、憎しみ合い、衝突する……などはニュースになり報道されるのに。

そして、日本の本屋には「反韓本」ばかりが並び、政治家は韓国の悪口を言って、「自分こそが愛国者」だと自負している。ヘイトスピーチのデモもある。「国防・安全保障」というのならば、まず近隣諸国と仲よくして、戦争にならないシステムをつくること。それこそが安全保障だと亀井静香さんが新聞で言っていた。そのとおりだと思う。他国を挑発し、それでもって、「自分は愛国者だ」などと言ってるのは愛国者ではない。最も国を危うくしてるのだ。そのことを感じた。政治家やマスコミに任すのではなく、我々が動き、民間の友好交流こそが大切だと思った。次は、「マガ9学校inソウル」ですよ。ぜひ、実現させてほしい。

第五章　宗教と政治

1　反戦僧侶・竹中彰元《しょうげん》のこと

（第54回　2010年7月7日）

こんな偉いお坊さんがいたのかと感動した。反戦僧侶・竹中彰元だ。「戦争は罪悪である」と言い続け、警察に逮捕された人だ。宗教者として当然のことを言ったまでだ。それなのに逮捕だ。

宗教は政治を超える。国家を超える。殺伐とした世の中でも、人の命の尊さを説くのが宗教だ。たとえ国家が一丸となって戦争に突入しても、「人殺しはいけない」と諭すのが宗教者の使命だ。だから、竹中彰元が逮捕された時は、所属する教団が、弾圧に抗議したと思った。竹中を支持し、擁護したと思った。

ところが違った。竹中の所属する真宗大谷派は竹中を処分する。資格剥奪するのだ。「こんな男は本当の僧侶ではない」と追放したのだ。国家に協力し、戦争を支持する僧侶だけが本当の僧侶だと言ったのだ。極言すれば、「人殺し」を是認し、奨励する僧侶だけが本物だとしたのだ。こんな馬鹿な話はない。しかし、戦争という狂気の時代には、全てが狂気になる。せめて宗教者だけでも、冷静に命の尊さを説くべきなのに。

仏教だけではない。神道はもちろん、キリスト教も、その他の宗教も雪崩を打ったように戦争に協力した。敵を一人でも多く殺すことが善であり、それが仏の教えにかなう。そう主張した。そんな中で、「人殺しは悪だ」と当然のことを言った竹中は逮捕され、宗門からも処分される。さらに、これは「聖戦ではない。侵略だ」と言い、「戦争は人類に対する敵である」と竹中は言った。今では常識だ。でも、常識を言っただけで逮捕されたのだ。常識を言うのも命がけだ。勇気のあるお坊さんだ。

大東仁《だいとうさとし》の『戦争は罪悪である――反戦僧侶・竹中彰元の叛骨』（風媒社）を読んだら、さらに驚くべきことが書かれていた。仏教は本来、「不殺生」である。キリスト教も「殺すなかれ」と説く。人を生かすのが宗教だ。ところが、戦争中は、この最も大切なことすら忘れられた。〈この「不殺生」に対し、大谷派（他の宗派も）は、「一殺多生」という言葉を用意しました。少し殺して多くが生きる。多くを生かすためだから少しぐらいは殺してもかまわない、という意味になります。大谷派は、仏教（不殺生）の教えとは別物の「大谷派の教え」（一殺多生）

を布教していたのです〉

「一殺多生」というのは戦前のテロリストの言葉ではないか。それを戦争中は宗教者が使ったのかと思った。五・一五事件、二・二六事件の前に「血盟団事件」というテロ事件があった。1932(昭和7)年だ。井上日召《にっしょう》が中心になって、20人ほどの政・財界のトップを殺そうとした。20人も殺したら、国家の悪が除かれるというのだ。この時、日召が言ったのが、「一人一殺」「一殺多生」だ。1人で1人を殺す。1人を殺すことによって多くの人が生きる、と。実際、井上準之助、団琢磨《だんたくま》の2人を殺した。そこで全員逮捕された。

この「血盟団」の「一殺多生」という言葉を大谷派は使ったのか。宗教者がテロリストの言葉を使うなんて……と思った。ところが、順序が逆だった。大東仁は言う。

〈近代日本初の対外戦争である日清戦争の十一年前、一八八三(明治一六)年四月一日発行の、真宗大谷派機関誌『開導新聞』(開導社発行)に掲載された「仏教ト社会トノ関係」(前号より連載。引用は続編の部分)を見てみましょう。そこにはこのように戦争での殺人を肯定しています。

「一殺多生ハ仏ノ遮スル所ニ非《あら》スシテ愛国ノ公義公徳ナリ」と。そして「身ヲ殺シテ仁ヲナスハ教化ノ功績」と言っています。つまり、一殺多生は仏さまが禁止することではなくて、愛国のための正義であり徳である。自分が犠牲となっても公義公徳を実践することは、布教による

功績となる、と「一殺多生」の布教が重要であることを訴えているのです〉

つまり、日清戦争の前から大谷派では「一殺多生」といい、戦争への協力を準備していた。そうなる。その影響を受けて、血盟団事件の時、井上日召は「一殺多生」を唱えて、テロを実行する。さらに、戦争になると、国民全てが「一殺多生」の心構えだ。思えば、大谷派も罪つくりだ。

実は、血盟団事件の井上日召もお坊さんだった。日蓮宗の坊さんで、「一人一殺・一殺多生」は仏典にある言葉だ、と言っていた。一人を殺すことで、多くの人が生きるのは仏の慈悲だと言う。

では、仏典のどこに書かれているのだろうか。また、この「一殺多生」の考えは、今だって生きている。死刑制度だ。一人を殺すことにより多くを生かすのだ。また、去年だったか、『ウォンテッド』というアメリカ映画を観た。国家が雇った殺し屋部隊の話だ。国家が裁けない悪を、国家に代わって処刑する。アンジェリーナ・ジョリーが出ていた。その映画のポスターを見て驚いた。「一を倒して、千を救う!」と書かれていた。「一殺多生」じゃないか。きっと、血盟団のことを知ってる人が書いたのだ。まさか、大谷派の人ではないだろう。

今は、竹中彰元は名誉回復されている。竹中を処分した大谷派も謝罪し、自己批判している。大東仁はじめ多くの人が竹中について書いている。今年の6月23日(水)から24日(木)にかけて、「念仏者九条の会」第10回全国集会が岐阜県で開かれた。2日目の24日は、真宗大谷派明泉寺《みようせんじ》（竹中彰元の寺）で、「竹中彰元師に学ぶ会」が開かれた。

23日は、真宗大谷派大垣別院同朋会館で、活動報告や記念講演が行われた。実は、そこに僕が呼ばれて、記念講演をしてきたのだ。全国から来たお坊さん、１００人を相手に話してきた。演題は何かと言うと、「戦争放棄と戦争箒《ほうき》」だ。主催者がつけてくれた演題だ。「何ですか、これは？」と聞いたら、「前に『マガジン９』で書いてたじゃないですか」と言われた。そうか、忘れていた。

９条を守る会で、「戦争箒」をもらった。箒の格好をしたマスコットというか、ストラップだ。戦争を除き、掃き清めるのだろう。気に入っている。時々、それで机の上を掃除している。でも猫がじゃれついて遊んでいる、といった話だ〈第18回、76ページ参照〉。それを読んで僕を呼んでくれたのだ。「今まで、念仏者九条の会では、こんなことをしてるんです」と、資料を送ってくれた。その中に竹中彰元のことが書かれていたのだ。驚いたし、勉強になった。だから、むしろ、こっちが竹中のことをもっともっと知りたいと思い、勉強のために行った。講師の方がたくさん質問し、教えてもらった。奇妙な講演会になったと思う。

2 「オウム」を消してしまうだけでいいのか

（第87回　2011年11月30日）

オウム裁判が終結した。1995年の強制捜査から16年8カ月を経て、189人が起訴されたオウム真理教の一連の刑事裁判は全て終結した。教祖・麻原彰晃《しょうこう》（本名・松本智津夫）他、元幹部13人の死刑が確定した。なぜ裁判が17年もかかったのか。それに、麻原本人の口から何も語られなかった。オウム真理教とはどんな団体だったのか。なぜ事件を起こしたのか。それらが全く語られなかった。

彼らは史上例を見ないほどの残虐な犯罪を起こした。坂本弁護士一家の殺人事件、松本サリン事件、地下鉄サリン事件などだ。教団内部での殺人事件もある。一連の事件で29人が死亡し、負傷者は6500人に上った。新聞やテレビ、ネットでは「1日も早い死刑の執行を！」「まず麻原からだ！」という声が溢《あふ》れている。刑の執行が終わらない限り、「オウム事件」は終わらない。そう思っているようだ。刑の執行で、事件を終わらせ、記憶を消したいのだろう。

でも、早急に事件を終わらせ、記憶を消してしまっていいのだろうか、と思う。あの頃の、熱い「空気」を覚えているからだ。犯罪集団になる前のオウムは、熱狂的に取り上げられ、皆、オウムについて熱く語っていた。ブームであり、「オウム現象」だった。そんな興奮と高揚を見ていたのだ。だから、〈記憶〉まで消してしまっていいのか、と思う。

例えば、東大や京大などでは麻原の講演会が開かれ、超満員だった。そこで麻原の話を聞いて入信した人は多い。大学当局が主催者ではないが、許可した。その責任はあるだろう。東大や京大でも講演するのだ。ということで「信用」し、「安心」して入った人は多かった。また、有名学者や評論家、ビッグなタレントが麻原と対談し、持ち上げた。彼らが麻原にお墨つきを与えたのだ。僕らだって漠然と思った。よく分からないが深い修行を積んだのだろうと。

また、テレビでも、よく取り上げられていた。僕がよく覚えているのは、「朝まで生テレビ！」だ。オウム真理教と幸福の科学が一騎打ちをし、他に宗教評論家なども出た。

幸福の科学のトップは出ない。幹部や作家の景山民夫さんなどが出た。オウム真理教は麻原自らが出た。気合いが違うと思った。真面目だし、真剣に修行し、世の中のことを考えていると思った。弁護士一家殺しの疑惑も一部には言われていたが、「いや、彼らはやってない」と思った。見抜けなかった僕らが愚かなのか。でも、多くの人がそう思ったはずだ。

オウム事件の犯罪が明らかになった後でも、オウム問題は「朝生」で何度も取り上げられていた。「オウム真理教と連合赤軍」というテーマの時は、僕も出た。宮崎学さんや、元東大全共闘の小坂修平さん、元連合赤軍の植垣康博さんなども出た。「なぜ、オウムが悪いかというと、宗教なのに人を殺したからです」と、あるパネラーが言うと、他の人たちは、「何を言ってるんだ、人を殺してない宗教なんてあるか！」と噛みつく。十字軍戦争などを言っているのだ。「オウムは連合赤軍と似ている」と指摘されて、植垣さんが、「いや、全く違う。我々は無関係の人間を無差別に殺したりはしない」と自らの正当性を訴えていた。

討論は過激な内容だし、よくあそこまで言えたと思う。今なら、とても言えないだろう。こんな番組もやれない。ユーチューブなどで見ようと思ったが、削除されたのか、出てこない。オウムに同情的な部分があると思われたら困る、という理由か。でも、当時の〈空気〉を知るためには見せる必要があると思うのだが。何なら、ＤＶＤにして売ってもいいだろう。それだけの「教材」としての価値はあると思う。そうした再検討がないならば、いつか同じような指導者が現れたら、同じようなことが起こるのではないか。そう思うからだ。

森達也さんの『Ａ３』（集英社インターナショナル）を読むと、麻原は詐病ではなく、完全に人格が破壊されているという。では、死刑など執行できないはずだ。ただ、これだけの罪をおかし、人を殺した人間をそのまま生かしていていいのか。という国民感情がある。そのために、麻原の病気には触れずに、ともかく「刑の執行を！」という声が多く挙がっている。

もし、麻原が正常ならば、法廷において堂々と述べるだろう。宗教的理由も述べるだろう。「この世において犯罪になるのなら、その責任は全て私一人にある。私一人を殺せ！」と叫ぶに違いない。信徒たちもそう願っているはずだ。そして処刑。そうすると、１００年後、２０

0年後に名誉回復され、甦《よみがえ》るかもしれない。「殉教者」になるかもしれない。

殺すことによって、「英雄」や「殉教者」になられては困る。政府も警察もそう考えた。だから麻原に薬を与えて人格を破壊した。と言う気はないが、今では何も喋れない。目の前の人間すら認識できない。「大悪人」として買いかぶりすぎた我々が愚かだったのかもしれない。

オウム真理教をやめ、今は「ひかりの輪」の代表になっている上祐史浩《じょうゆうふみひろ》さんとロフトで対談したことがある。なぜ、東大・京大などのエリートが、こぞってオウムに入ったのかと。そうしたら、こう言っていた。頭のいい学生たちは、科学で解明できないことはないと思っている。そこに小さな「超能力」を見せてやる。信じられない世界だ。学生たちは、じゃ、俺たちが習った世界は何なのだ、と、その世界がガラガラと崩れる。そう言っていた。

麻原は確かに超能力はあるだろう。だから偉いわけでも、正しい人でもない。超能力というのは、むしろ動物的なものかもしれないという。文明化する前の人間が持っていた原初的な能力だ。それなのに、その動物的能力を示した人を全面的に信用してしまう。

上祐さんの話を聞いて、なるほどと思った。また、『A3』で森さんは、「麻原だけの独裁ではない」と言っている。麻原を囲む幹部たちが、麻原に、いろいろと「注進」したのだ。「これは米軍の謀略だ」「我々が選挙に負けるはずがない」「誰かが投票箱をすりかえたんだ」……と。麻原が聞いて心地よく響く注進だけを聞いていたのだ。その意味では皆、「共犯」だ。いや、むしろ下の人間が突き上げたのかもしれない。

元連合赤軍の植垣さんの本を読んでいたら、「山の中の総括は、決して森、永田だけの独裁で行われたのではない。かえって、まわりにいる一般活動家が、突き上げたのだ」と言う。興奮状態の中で、「もっとやれ！　もっとやれ！」と叫ぶ。「次はこいつだ！」「こいつを総括しろ！」と叫ぶ。ありうる話だと思った。

これは、そうした極限状況を見た人でないと分からない。オウム真理教も、もっともっと解明すべき点はある。一般の人間でも会えるようにし、あるいはネットで話せるようにし、彼らの生の声を聞かせたらいい。彼らは、日本における「負の財産」だ。ただ消してしまうのでは、納得ができない。

3　芹沢光治良《せりざわこうじろう》記念館で考えたこと

（第147回　2014年3月26日）

あっ、ここが我入道《がにゅうどう》か。と感動した。今でも、「沼津市我入道」として、地名は残っている。3月23日（日）、その我入道に行ってきた。別に地名に惹かれて行ったのではない。そこに建っている「芹沢光治良記念館」を訪ねたのだ。ここはぜひ行かなくては、と10年以上も前から思い、やっと実現したのだ。

芹沢の作品はかなり読んだ。乱読した。精神的に訴える作品が多い。代表作である大河小説『人間の運命』には本当に圧倒された。子供の頃からの宗教体験をこれほど見つめ、そして客観的に書いた作家はいない。父親は天理教に入信し、全財産を天理教に捧《ささ》げ、長男、三男を連れて村を出る。光治良は隠居所に住む祖父母の元に残された。親は自分よりも信仰を取った。自分は〝捨てられた子〟だと思った。宗教はまず自分の精神・肉体を救い、家族を救い、愛するためにあるのではないのか。それにもかかわらず、より多くの人々を救うために父親は子供を捨て、家庭を捨てた。いったい、宗教は何のためにあるのだろう。果たして宗教は人間の生活に必要なものだろうか。そこまで考える。

自分が正しく生きるための指針だ。宗教はそれだけでいいのかもしれない。また、くじけそうになった時に、自分を励ましてくれるものだ。それだけでいいのかもしれない。しかし、「自分だけが救われていいのだろうか」と思う。これでは、エゴイストではないのか。この幸せを近くの人に、また、多くの人に分け与えなくてはならない。そう思うのだろう。伝道だ。布教だ……と思う。

この気持ちは僕も分かる。芹沢の父親ほど激しくはないが、僕の母も、熱心な信徒だった。もっと穏和な「生長の家」という宗教だった。本を読んで、心を清め、神に祈る。おだやかな宗教だ。「神様に全財産を捧げなさい」とは言わない。だから僕も捨てられなくて済んだ。もし親が、全財産を捨て、家族を捨てて伝道の旅に出たら、どうなっただろう。とても芹沢のように強く生きることはできなかっただろう。だから、大河小説『人間の運命』は、心を奪われ、自分のことのように思われて読んだ。今、『完全版 人間の運命』全18巻（勉誠出版）が出ているが、僕がかつて読んだのは新潮社の全14巻だった。

子供時代の〈宗教体験〉は大きくなってもその人に大きな影響を与え続ける。村上春樹の『1Q84』（新潮社）には、母に手を引かれ、一軒一軒、布教に歩く母子の姿が出てくる。子供を連れて布教すると、相手も警戒しない。話を聞いてくれる。そんな「効果」があるのだろう。しかし、子供にとってはたまったものではない。いい迷惑だ。その体験へのトラウマ、反撥から、反抗して激しい学生運動に入った人もいた。

その点、僕は幸せだった。そんなトラウマはない。ただ、そんな穏和な宗教でも、１９６０年代は、「国を救うために立ち上がれ！」と言われた。安保闘争があった時だ。社会党委員長の浅沼稲次郎が右翼少年・山口二矢に殺された時だ。「生長の家」の谷口雅春先生は言っていた。「宗教は本来は個人の精神や肉体を救い、安心な生活を送るためにある。しかし、今は日本が病気だ。危篤だ。この日本を救わなくてはならない！」と。日本に革命を起こそうとする人たちと闘え！　と言ったのだ。その檄が基になって僕も右派の学生運動をすることになる。僕自身も、「人間の運命」だ。

イエス・キリストは果たして、今のような教会・教団を中心とした巨大な布教システムを望んだのだろうか。心が心に触れ、そして精神的満足を得る人が増えてゆく。それだけを考えたのではないか。ところが巨大な布教システムができると、もの凄い金がかかる。だから献金システムを考え、布教システムを考えたのではないか。そんなことを言ってる人がいた。たぶん、当たっているだろう。

そのシステムは他の宗教にも次々と模倣された。中には「集金システム」をつくり、金を得たいためだけに、宗教らしきものをつくる人も出る。いや、素晴らしい宗教だとしても、それを多くの人に知らせるには、お金がかかる。その目的と手段は、当初は分かっていたはずだ。それなのに、金が集まりだすと、目的と手段が逆転する。そんな例もずいぶんと見てきた。

左右の運動でも言える。運動をやり、世の中をよくしようと思っている。心からそう思う。でも、そのためには金が必要だ。また、この国をよくしようとして、時には焦燥にかられ、法律を破ることもある。その手段が、何度も何度も続き、エスカレートすると、どちらが目的か手段か分からなくなる。「運動のために金を集めているのか、あるいは金を集めるのが好きで、そのために運動をしてるふりをしてるのではないか」。乱暴なこと、非合法活動が好きで、そのために運動してるふりをしてるのではないか。そう疑問に思う時もあるはずだ。

『人間の運命』にも、そんな問いかけがずいぶんと出てくる。ある宗教では、ここでも全財産を捨てなさいと言われる。物質的なものを捨てたら、あとは神様が助けてくれる、という。しかし、捧げる財産はない。思い余った親は、娘を遊郭に売る。その金を教団に献金する。どんな金でも教団は受け取る。「あとは神様が守ってくれる」と言う。そんな不浄な金をもらって神様はうれしいのだろうか。売られた娘は不幸なはずなのに……と思った。他にも、もっともっと多くの話が出てくる。それらに直面し、必死に考え、悩み、そして成長していく。精神史だけではなく、政治、戦争……などの時代を貫く大きな歴史にもなっている。『完全版 人間の運命』の案内にはこう書かれている。

〈明治・大正・昭和の激動の世紀を、日本人はいかに苦難と苦悩の道を歩み、希望をつないできたか。時代の証言として描く近代史〉

新潮社版の全14巻は読んだが、この完全版も読まなくちゃならないかな。また、大きな目標ができた。新潮社版を全巻読破した人が、僕のまわりに3、4人いる。その人たちだけで、まず座談会をやろう。そう思った。我入道の「芹沢光治良記念館」を見て、そう思った。

それにしても、珍しい名前だ。我入道なんて。海の近くで入道雲が湧くからか。記念館の人に聞いたら、日蓮と関係のある地名だと言う。新潮日本文学アルバム『芹沢光治良』には、こう出ていた。

〈昔、竜《たつ》の口の難を逃れた日蓮上人が、漁船に隠れてここに流れ着き、ここそ我が入る道であると言って上陸したところから付けられた名前だという〉

元々、宗教的な地名なのだ。芹沢が亡くなって今年で20年だ。〈年譜〉にはこう書かれている。

〈平成五年（一九九三）三月二十三日、ふだんどおり原稿執筆の後、午後七時、老衰のため自宅で死去〉

芹沢光治良記念館でこれを見て、アッと思った。今日じゃないか。今日が命日だ。「そうです。午前中に墓前祭が行われました」と記念館の人も言う。午後3時すぎに来たので参列できなかったが、この後、墓地に行き、お参りした。また、96歳で亡くなったのは、我入道ではない。東京に家を建て、そこで執筆していた。何と、東中野だったのだ。今、私が住んでるとこじゃないか。そういえば、林芙美子《ふみこ》もこの辺に住んでいた。昔の家が残っていて記念館になっている。また、童話作家の新美《にいみ》南吉も東中野に住んでいた。心優しく、精神的な執筆活動を続けた人は皆、東中野に住んでいたんでしょう。

4 「宗教」と「愛国心」は似ている

（第199回　2016年5月25日）

この1週間は旅から旅の1週間だった。政治的な集会が中心だが、なぜか〈宗教〉を考えさせられた1週間だった。

5月15日（日）は、岐阜の護国神社で「大夢館」建設50周年記念大会に出た。五・一五事件の三上卓さんに師事した花房東洋氏が三上さんの遺志を継いで「大夢館」をつくり、毎年ここ岐阜でお祭りをやっている。この花房氏とは、僕は50年以上も前からの知り合いだ。共に「生長の家」の活動家だったからだ。

僕は早大生で、赤坂乃木坂《のぎざか》にある「生長の家学生道場」にいた。花房氏は調布市飛田給《とびたきゅう》にある「生長の家練成道場」の長期練修生だった。日本の革命を阻止するために宗教者も立ち上がれ、と言われ、一緒に街頭演説、デモなどをした。一緒に勉強会もしたし、訓練もした。その頃、一緒に運動をした「生長の家」の学生が中心になり、ずっと後になって「日本会議」ができる。菅野完《すがのたもつ》さんの『日本会議の研究』（扶桑社新書）にその辺のことは詳しく書かれている。あまりに詳しいので、日本会議は扶桑社に「回収しろ」と言って、抗議している。あまりに売れていて、今、どこの本屋にもない。古本屋では10倍の値段がついているという（現在は重版されている)。

花房氏とは、そんな話もした。今の「生長の家」本部は、政治の世界からは一切、手を引いた。「70年安保」を前にした時代は、世の中が「革命近し」と騒然としていた時代だった。日本という国自体が病んでいる。だから「生長の家」も政治に進出し、「生政連(生長の家政治連合)」をつくり、玉置和郎《たまきかずお》さんや村上正邦さんなどの政治家を政界に送った。しかし今は、あの騒乱の時代が去って、世の中は落ち着き、平和な時代になった。だから、宗教も元の宗教活動に戻るべきだ。「生長の家」本部では、そう考えて政治の世界からは一切手を引いた。だが、政治的な活動をやり、愛国心に基づいた運動をやってきた人には、もの足りない。それで、「生長の家」創始者・谷口雅春先生の教えに帰ろう、という運動があり、その大会もある。また、各地で「雅春先生の教えに戻ろう」という勉強会も行われている。

「生長の家」では「70年の危機」を前にし、全国の学生を集めて「全国学協(全国学生自治体連絡協議会)」をつくった。「生長の家」の学生を中心にしながらも、右派的・民族派的な学生を集めて、左翼学生と闘おうとしたのだ。初代の委員長は僕だ。前からこの運動にかかわってきたし、「生長の家学生道場」という35名の実戦部隊を持っている。それと、一番年長だった。そんな理由だけで委員長に選ばれたようだ。だが、この頃はもう左翼学生も壊滅的な打撃を受けていて、ほとんどいなかった。全国学協は左翼と闘うことよりも、他の「似たような」「まぎらわしい」右派学生運動と闘うことが多くなった。さらには全国学協内部でも内ゲバが起きた。その中で、人徳もなく、指導力もない僕は追放された。僕は運動をやりたいが、場がない。郷里の仙台に帰り、本屋の店員をしていた。その時、縁があって産経新聞に入れてくれる人がいた。1970年の春から、再び東京に戻り、新聞社勤務をした。ところが、この年の11月25日、三島事件が起こり、再び運動の世界に引き戻された。昔の運動仲間が集まって新しい運動をやろうと話し合った。僕らは2年後に一水会をつくった。

三島事件の前からやっていた全国学協は、僕が追放された後も活動を続けていた。「反憲学連（反憲法学生委員会全国連合）」という学生組織が生まれ、「日本青年協議会」という組織も生まれた。全国学協のさらに上の組織だ。そこに残った人々が政治の世界に出て、国会議員や地方議員になり、また、「日本会議」の中の中核メンバーとなる。今、安倍政権を支え、憲法改正への推進役になっているのは、彼らだ。「生長の家」の学生運動をやった仲間、その後輩たちだ。

岐阜の花房氏は、飛田給を出てからは、五・一五事件を主導した三上卓さんに師事する。そして「大夢館」をつくり、それから50年が経ったわけだ。花房氏は精神的にもとても強い人だ。「それは生長の家の教えに触れたからですよ」と言う。普段は、五・一五事件や政治の話しかしないが、僕と会うと、50年前の「生長の家」の活動家だった頃に戻る。そんな話ばかりしていた。

岐阜に行った2日後、5月17日（火）は札幌に行った。札幌時計台ホールで、2カ月に一度、講演とシンポジウムをやっている。この日のゲストは麻原彰晃・三女の松本麗華《りか》さんだ。アーチャリーと呼ばれていた。去年、『止まった時計――麻原彰晃の三女・アーチャリーの手記』（講談社）という本を出して、オウム真理教の中で暮らした日々のこと、父のこと、事件のことなどを公開し、書いた。それから、マスコミの取材にも応じているし、トークもしている。しかし、100人以上の人を前にしての講演は初めてだという。「とても1時間なんて話せない」と言う。でも、その場になったら、実に堂々と話している。聞いている人々の心を直《じか》につかんで離さない。皆、感動して聞いていた。一緒に来たお姉さんも「うまい、初めて聞いたけど、凄い」と言っていた。

いろんな場所に出て、考え、努力し、それを乗り越えていく。無限の可能性を持つ人だと思う。それに、生まれた時からオウムにいたし、暴走する教団の中にあって、よく今まで無事だったと思う。その極限の、地獄の体験を今、語る。また、なぜオウムは暴走したのかを考える。さらに、暴走は止められなかったのか。これから宗教はどうあるべきか、などについて話す。僕も感動して、次の1時間はそんな話をした。〈宗教〉はどうあるべきかについて話しながら、宗教は愛国心と似ていると思った。両方とも、心の問題だ。心にしまっておけばいい、その上で、どう行動するかだ。それなのに、今は両方とも、ひけらかし、見せびらかす。また、「この宗教でなければ救われない」「この宗教だけが正しい」と言う。愛国者もそうだ。他人を批判し、他国を罵倒し、そのことによって「俺は愛国者だ！」と豪語する。違うだろうと思う。

そして、5月21日（土）は仙台に行った。高校の同窓会だ。東北学院榴《つつじ》ケ岡高校だ。僕は1回生だが、今は54回生なんている。学院にいる時はずいぶんと反抗したり、教師とけんかした。でも、今になるとキリスト教を勉強できてよかったと思う。世界の文学、音楽、絵画などを理解するには、キリスト教の理解が必要だ。「今はとても感謝しています」と挨拶した。

翌、5月22日（日）は会津若松に行く。僕を呼んでくれた人たちは、キリスト教に入信している人が多い。それに憲法24条を書いたベアテ・シロタ・ゴードンさんを好きで、会津若松にも2回、来てもらったという。だから、ベアテさんつながりで講演した。ベアテさんが来日した時、僕は何度も会っているし、ずいぶんと話を聞いた。また、ニューヨークに呼んでもらい、一緒に憲法を考えるシンポジウムに出た。ゆっくり時間をとって話をし、それを本にしましょう、と言っていた。ところが、亡くなられた。残念だ。

ベアテさんに教わったことは多い。マッカーサーの指示のもと、占領軍のスタッフが日本国憲法の骨子をつくった。しかし、アメリカでもできない世界一進んだ、民主的な憲法だったという。また、第二次世界大戦は「最終戦争」だ。もう戦争はない。だから、軍隊のない国をつくるべきだ。その信念で日本の非武装の9条ができたという。

いくらいいことをしても、占領中の日本に憲法を押しつけたんじゃないか、とはじめは反撥した。しかし、彼らの夢や理想や情熱の一端は分かった。それに比べたら、安倍政権の改憲をしようという人たちには、占領軍のような夢や理想や情熱もない。「昔に戻ろう」という後ろ向きの姿勢だけだ。そのことを会津若松では講演した。愛国心は必要だ。でも「必要だ」「当然だ」という思いだけが強くなると、「じゃ、学校でも教えよう」「教科書にも書こう」「憲法にも書こう」という動きになる。「形」をつくろうとするのが政治家だからだ。でもそうなると、日本人一人ひとりを縛ることになる。「心」は心として、心の中で思っていればいい。それを基にして話す、行動するのはいい。だが、宗教や愛国心を正面に出して闘うと、危なくなる。「言論の自由」も脅かされる。

「立派な憲法」ができ、愛国心に満ちた国家になっても、個人の自由や人権がおかされるのでは、本末転倒だ。「自由のない自主憲法よりは、自由がある押しつけ憲法を」と思うわけだ。

第六章　憂国

1　強いリーダーを欲する「蟻《あり》の集団」

（第8回　2008年9月17日）

「もう首相なんかいらない。各大臣がいればいい。それで十分だ」と言ってやった。9月8日(月)、大阪・朝日放送の「ムーブ！」に出た時だ。「憲法もいらない。法律さえあれば十分だ」とも言った。いささか乱暴だが、同じようなもんじゃないか、と言ったのだ。

実際、イギリスには憲法はない。でも法律があるから十分だ。日本だって、刑法や商法など、具体的な法律があれば十分だ。それに従って僕らは生きている。それに違反したら処罰される。憲法は「宣言」のようなものだ。スポーツ大会における選手の「宣誓」だ。「スポーツマン精神に則《のっと》り、正々堂々と闘います。薬物には絶対に手を出さず……」ということだ。

昔は、「薬物」なんて言葉は入ってなかったが、今はオリンピックをはじめ、主催者、選手も必ず強調する。日本の「国技」大相撲でも、これからは「力士宣誓」でやるだろう。要は、卑怯《ひきょう》な手を使わず、自分の力で堂々とやるということだ。国際政治においては、「薬物」はいわば核か。大国は核は持ってるが、絶対に使わない。そう言っている。同じことか。

その意味では日本の憲法は、薬物に頼らない健全な国家の憲法かもしれない。核（薬物）どころか、痛み止めの薬（軍備）も一切、持たない、使用しないと「選手宣誓」してるのだから。立派だ（でも隠れて使っている。卑怯な国家だ）。

さて、言いたかったのは首相の方だ。安倍さん、福田さんと続けて1年で政権を投げ出した。まわりのいじめに耐えかねて投げ出した。「こんな人間は早く辞めろ」と野党、マスコミは連日言ってたのに、いざ辞めると「なぜ辞めるんだ」「無責任だ」と攻撃する。これも変だ。「トップがこんなに簡単に辞める。首相の座はこんなに軽くていいのか」とマスコミや評論家は攻撃する。でも、そんな人たちが首相の座を「軽く」したのだ。

首相の座を「重く」するのは簡単だ。アメリカのように国民に直接、選ばせる。そうしたら、「国民に選ばれたのだ」という自覚を持つ。派閥の談合で選ばれたのではない。また、首相に、たとえ誰がなっても、いちおう4年間はやらせる。そうしたら「重い」ものになる。簡単だ。

中曾根元首相は「首相公選論」を主張していた。国民に直接選ばせる。国民の民意を反映した首相になる。そして強力な権力を持つ。アメリカの大統領のように。国民の民意を表すのなら、首相は別に国会議員でなくてもいい。大臣は民間からも入れられる。だったら首相、大臣も含め、大幅に民間人を入れて直接選ばせたらいい。いや、首相だけを選び、その首相が大臣を任命する。その方がスッキリするか。

今、新聞を見ていると、「強い首相」を待望している。中国、北朝鮮とは断固として闘い、アメリカにも対等にものを言える人。そうすると今の政治家にはいない。民間まで目を向けると、この人しかいない。北朝鮮とも、一歩もひかず堂々と闘っている人だ。そう、櫻井よしこさんだ。この人を首相にする。防衛大臣は金美齢《きんびれい》さんだ。外務大臣は井脇ノブ子さんだ。文科大臣は神取忍《かんどりしのぶ》さん（元女子プロレスラーの国会議員）だ。さらに民間から上坂冬子《かみさかふゆこ》さん、浜口京子さんも入れていい。闘う女性たちで強力な内閣をつくる。ヤワな男どもと違い、政権を投げ出したりしない。

さらに、全国民が国政に参加できるようにする。裁判だって一般国民が参加するんだ。国会もそうしたらいい。全ての法案の審議に参加する。全国民がパソコンを持っているのだから、そこと国会をつないで、審議し、議決する。それでいい。そうすると、国会議員も不要になる。じゃ、捨てたらいいだろう。あるいは、「ビートたけしのTVタックル」や「太田光の私が総理大臣になったら…秘書田中。」などテレビに出ていたらいい。そこで、お笑い芸人と一緒に、お笑いをやっていればいい。彼らの芸を参考にして、「主権者の国民」が国政に参加し、全ての法案を審議し、決める。これでこそ、我々は本当の「主権者」になる。そして日本は平和になる。

まあ、これは一度やってみてもいい。「アマゾネス内閣」のもと、日本は強力な国家になるだろう。自衛隊は国防軍になる。いや、「地球防衛軍」になっちゃう。「アメリカに任せていられない。地球の平和は我々が守る！」と、世界中に出てゆく。今の人数じゃ足りないから、国民皆兵だ。外国からの移民も無制限に受け入れる。ただし、兵役の義務を課す。そうしたら一挙に3億人の地球防衛軍になる。日本が地球を守る。地球の盟主になる。大東亜共栄圏どころか、大地球共栄圏だ。

その時は、日米安保も廃棄している。いや、新安保のもと、日本がアメリカを守ってやる。21世紀は日本の世紀になる。

でも、国家は強くなっても、国民はもっともっと弱くなるだろう。強いリーダーを選ぶだけの「蟻の集団」になってしまう。政治家にばかり期待した報いだ。政治や政治家が変わらなければ日本が変わらないと思っている人が多い。それでは何も変わらない。彼らに期待していてはダメだ。「強いリーダー」を待望していったら、国民はますます弱い蟻になる。それよりも、本当の「主権者」になることを考えるべきだ。

首相なんか1年ごとに替わったっていい。弱いリーダーばかりでもいい。それは成熟し、平和な国の証拠だ。その間に、国民一人ひとりが自覚し、成長し、真の主権者になることだ。そのためなら、ネットも大衆運動も駆使したらいい。そうでないと、ネットも国民世論も、ただ単に「強力なリーダー」をつくるためだけに利用される。そんな気がする。

2 「国民議員制度」を提案する
（第33回　２００９年９月９日）

裁判員制度がスタートした。あれだけ反対が多く、心配されたが、好調のようだ。なぜか、プラスの面しか報道されてない。「素人感覚」がいい。「国民目線」が新鮮だと。確かに、いい面もあったのだろう。

だったら、いっそのこと国会議員も裁判員のように選んだらいい。長い間、永田町にたまっていた非常識、悪弊も一掃されるだろう。「素人感覚」「国民目線」が入ることで変わる。無作為で選ばれた人々が国会議員になる。４年で長いのなら2年でも、1年でもいい。選ばれた人は、「えっ、私が？」「困るなー、嫌だよ」「辞退したら罰則があるのかなー」と困惑し、不安に思うだろう。

でも、そういう人こそ国会議員になってほしい。本当の「民意」が表れる。「素人感覚」「国民目線」で見れる。大体、俺が俺がという、「なりたい人間」だけが選挙に出るのがおかしいのだ。また、その「なりたい人間」の中からしか国民が選べない。これもおかしい。不自由だ。「出たい人よりも出したい人を」と誰かが言ってたじゃないか。今のままでは、「なりたい人」「出たい人」ばっかりだ。自分で自分のことを褒め、自慢する。「私がやれば、世の中は変わりますよ」と嘘をつく。虚言症と自信過剰と妄想の人しか国会議員になれない。謙虚で、大言壮語しない。他人の悪口を言わない……。それが日本人の美徳だったのに。だから、非「日本」的な人ばっかりを「日本」の代表として選んできたのだ。

本当に「出したい人」は出ない。暑い中、車の上で叫び、いかに自分が優れているか、偉いか、正直かを言う。自分たちの党はどれだけ立派かを絶叫し、1日何千、何万人と握手し、「お願いします」を繰り返す。正常な神経の人なら耐えられない。

出たい人、なりたい人はもういい。いらない。国会議員は全員、国民の中から無作為に抽出する。これでこそ、本当の「民意」だ。学生もなるだろう。フリーターもなるだろう。養老院に入ってる人もなるだろう。ヤクザもいる。右翼もいる。極左過激派もいる。警察官もいる。自衛隊もいる。皆、2年間は休職して、議員になってもらう。国民の全体の「縮図」だ。一番の民意反映だ。文句がないだろう。

「国会議員全部」がそうなったら不安だという人のために、1割くらいは今までの古いタイプのプロ議員を残してもいい。民主、自民、公明、社民、共産……と、各5人くらいは残す。そう、テレビ討論会に出ている人たちだ。これは「看板」として残し、毎日テレビに出て激論し、お笑い芸人と一緒になって歌ったり、お芝居してたらいい。でも、それは一つの「参考」だ。それを参考にして国会で決めるのは「国民議員制度」で選ばれた素人の方々だ。それでいい。

それでもまだ不安ならば、全ての法案について、国民投票制にする。国民全てがネットで投票する。一瞬にして分かる。これで文句はないだろう。いや、「国の重要な法案を素人が決めていいのか」と言う人もいるだろう。でも、素人のために政治があるんだ。素人の幸せを考えるのが政治なんだ。裁判だって、これからは極刑判断も予測される。冤罪かも分からない人に、「死刑！」なんて言うんだ。覚醒剤をやった芸能人には「我々の夢を壊した。死刑！」と判決するかもしれない。それに比べたら、国会はまだいい。人を殺したりはしない。「素人感覚」でいいんだよ。

「今週の提案」はこれでおしまい。どうも、やけになって、こんなことを考えついたようだ。民主党の圧勝はうれしいけど、僕の応援し、期待していた社民党の保坂展人さんは落ちた。自民党の井脇ノブ子さんも落ちてしまった。残念だ。2人とも苦労に苦労を重ねて議員になった。他人の痛みが分かる政治家だった。2人とも、首相になってほしかった人だ。

「わしが首相になったら鈴木君を法務大臣にする」と井脇さんは言ってくれたのに。そうなったら、死刑を廃止し、「時効廃止」を廃止したのに。デモ、集会、ビラ配り、チラシ配り……は無制限に自由にする……と、いろいろ考えていたのに、全ては夢になってしまった。

そうだ、元警視庁刑事の北芝健さんと先日対談した。最近よく会っている。これだけ有名になると、「選挙に出てくれ」という誘いがあるだろう。そう思って聞いたら、かなりあると言う。「でも、全て断っています」。そうだよな、「なってもらいたい人」は皆、断るんだ。でも、条件をつけて受けたらよかったのに。法務大臣にするんなら、出てやる。とか。「そうか、その手があったか」と北芝さんは言っていた。「僕が法務大臣になったら、鈴木さんを国家公安委員長にしますよ」と言う。うん、これも面白いな。デモ、集会は全て自由にする。ジグザグデモ、フランスデモも奨励し、復活させる。これは残すべき「日本文化」だ。各大学には「学生運動」の課目をつくり、必須単位にする。学生運動の歴史を学ばせ、「実技」もやらせる。デモ、アジ演説、内ゲバも「体験」させる。火炎瓶投擲《とうてき》も学内で実験させる。左翼を養殖し、育てるようなものだ。そして、野性に戻す。そうしたら、日本もまた、60年代後半のような夢と活気に満ち溢れた、激動の時代になるだろう。

今、学生運動はない。細々とやっているところも、大学側が嵩《かさ》にかかって弱い者いじめをしている。法政大学なんて、立て看板を出したくらいで、大学側が警察を呼び、逮捕させている。「教え子」を警察に売り渡すなんて、教育者にあるまじき行為だ。私が国家公安委員長になったら、こんな大学側の人間こそ逮捕させる。「教育放棄」の罪だ。そして、左翼、右翼を絶滅の危機から救う法律をつくる。手厚く保護する。

大阪読売テレビ「たかじんのそこまで言って委員会」で先月、田母神《たもがみ》俊雄さん（前自衛隊航空幕僚長）に会った。この人も有名人だから、選挙に出てくれと誘いがずいぶんあるという。

それも自民党だ。でも、空幕長のクビを切ったのは自民党だろうが。それなのに苦しくなると「選挙に出てくれ」だ。節操がない。だから負けるんだ。宮崎の東国原《ひがしこくばる》知事に「自民党総裁にするんなら出てやる」と言われるし。でも、こんな大惨敗するんなら、東国原知事を総裁にすればよかった。

そうだ、田母神さんの話だ。選挙の誘いは「全て断ってます」と言っていた。だから言ってやった。「防衛大臣にするんなら出てやる。と言えばよかったのに」。いいじゃないか。空幕長をクビになって、今度はさらにその上の役職になって戻ってくる。これが本当の敗者復活じゃないか。さらにその上になるんだから。

でも、自民は大敗した。北芝さんも、田母神さんも、もう声がかからないだろう。あるいは、自民の敗者復活をかけて、また、声をかけてくるかな。

3　政治家と政治評論家

（第45回　2010年3月3日）

じゃ、いっそのこと、取り替えてみてはどうだろう。『王子と乞食《こじき》』のように。お互い相手の立場はいいなあと思っている。じゃ、替えてみよう、と実行する。でも、いいことばかりじゃない。

蛇足ながら、「乞食」という言葉はいい言葉ではない。差別的だ。だから今は、『王子と少年』になった、という説もある。よく分からない。

では、今、何と何を替えるのか。「政治家」と「政治家に文句を言う人」を替えるのだ。「政治家」と「評論家」と言ってもいい。あるいは、「政治家」と「一億総評論家になった国民」と言ってもいい。

朝から晩まで、テレビに出て評論家たちは政治家の批判ばかりだ。新聞も週刊誌もそうだ。悪いことは全て政治家のせいだ。替えろ、替えろと言う。それで替わった。総理はコロコロと替わり、政権も交代した。でも、もっと替われ、替われと言う。

でも、そんなに政治や政治家ばかりに頼っていていいのか。期待していていいのか。国民は何もしなくていいのか。「じゃ、一度、替わってみろよ」と政治家だって叫びたいだろう。

だから替えてみたらいい。田原総一朗が総理で、高野孟《はじめ》、大谷昭宏を大臣にする。あるいは番組そのままに、太田光《ひかり》を総理に、田中裕二を秘書にする。あるいは、櫻井よしこや小林よしのりを総理にして、そのブレーンを大臣にする手もある。面白いだろう。

1960年代の後半、左翼も右翼も熱く闘っていた時、自由国民社やエール出版社から面白い本が出ていた。『全学連は何を考えるか』『右翼青年は何を考えるか――彼等は何を怒り・何を訴えたいのか』といった挑発的な本だった。その中に、「右翼が政権を取ったら」というシミュレーションがあった。政治家や左翼に文句を言うだけでなく、自分たちでこんな政権をつくる、というものだ。それだけで1冊の本になってたのかもしれない。

児玉誉士夫《こだまよしお》が総理大臣で、赤尾敏が外務大臣で、谷口雅春が文部大臣……といったものだった。他にも右翼の大物、強硬派がズラリと並んでいる。右翼の人たちにも取材し、「俺たちは政治家に文句を言うだけじゃないぞ。自分たちで政治をやってみせるのだ」という意気を示したものだった。「否定」「拒否」だけでなく、自分たちの「具体案」を示したのだ。

でも、あまり評判はよくなかったようだ。当の右翼の人たちも、「何も俺たちはそこまで望んでないよ」「俺たち右翼は破壊のための捨て石でいいんだ。建設にタッチしたらダメだ」と言う人が多かった。中には、「こんな政権ができたら、すぐ戦争になるよ」「経済は破綻するよ」「世の中は真っ暗だ。外国に亡命する」と言う人までいた。理想に燃え、正義感に溢れクリーンかもしれないが、これじゃ怖い。まだ腐敗堕落した自民党の方がいい、と思ったのだ。右翼が政権を取ったら。左翼革命が実現したら。……といった本は、半分真面目、半分パロディだ。ただ、左翼も右翼も、俺たちだけでやってやるという熱気や覇気があった。政治家なんかには頼らない。共産党や社会党の支配を嫌って飛び出した連中が新左翼をつくった。右翼だって「金権自民党をぶっつぶすんだ」と言っていた。政治家には何も期待しない。自分たちの力で世の中を変えると思い、その手応えを感じていた。

1984（昭和59）年6月、「いまなぜ全共闘か」のテーマで池袋文芸坐《ぶんげいざ》で徹夜討論会が行われた。司会は田原総一朗だ。出席者は、中上《なかがみ》健次、立松和平、高橋伴明《ばんめい》、前之園紀男《まえのそののりお》。そして、全共闘と闘っていた僕だ。テレビ朝日で放映され、「朝日ジャーナル」に載り、単行本にもなった。政治家はいない。政治家には全く期待していない。これからだって俺たちが俺たちの力で世の中を変えてやる。そういう気概があった。

この徹夜討論会が基になって、2年後に「朝まで生テレビ！」が生まれた。だから、「朝生」も、政治家には頼らない。期待もしない。出演もさせない。そういうことでスタートした。当時のタブーとされる問題に果敢に挑戦していった。「朝生」はまさに「全共闘」だった。既成の権力、権威にたてつき、反撥し、挑発した。初期のテーマは、「原発」「天皇制」「日本の右翼」「同和問題」……など、今まで誰もやらなかったものだ。怖くてやれなかったものだ。もちろん、政治家は誰もいない。「お前らの出る幕はない」と言ってるようだった。

僕は、1990年2月の「日本の右翼」の時に出た。震えるような緊張感があった。その後、「天皇制」「憲法」「オウム真理教と連合赤軍」などのエキサイティングな回に出た。やはり、政治家はいない。ところが、「タブー」は大方、やったと思ったのか。あるいは、現実的に政治を変えるしかないと思ったのか。途中から、急に政治家が増えてくる。そして、ずっと「政党討論会」になってしまった。毎週日曜日の「サンデープロジェクト」もそうだ。「政治家を呼びつけて、政治家を叱る」というスタンスだったと思う。国民の生の声をぶつけて、政治をしっかりやってもらう。そういう意図だったと思う。

でも、それが続くと、「やっぱり政治家に頼るしかないのか」「彼らに期待するしかないのか」……と思ってしまう。もっといい政治家を選ぼう。でもダメだった。じゃ、もっといい政治家を。……と、その繰り返しだ。しかし、そんな「理想の政治家」など出てこない。皆、文句をいい、愚痴るだけだ。でも、政治家に頼るだけだ。自分たちで何かやることは考えない。「じゃ、政治家になるか」と、最後には、それしかない。

政治家もテレビに出ることしか考えなくなる。一度出ると何千票になると言ってた政治家もいた。たとえ、バラエティ番組でも何でも出たがる。テレビ映りがよくて、「説明」のうまい政治家だけが重宝される。テレビ映りは悪くて口下手でも、〈政治力〉のある人間が本当は必要なはずなのに……。これではテレビ政治だ。お笑い芸人とバラエティに出るくらいなら、政治の勉強をしろ。政治をやれ！　と言いたい。こんなことで、政治家を無駄遣いするな、と言いたい。「何をやろうとしているか」は政党の広報官が言えばいい。政治家は政治をやり、結果が出てからテレビに出て報告したらいい。

「政治家はテレビに出て顔を売ることしか考えてない。勉強もしない、政治もやってない、地元に帰っても、握手して回ってるだけだ。俺たちの方が政策を考え、実際に政治をしている」と、ある評論家が言っていた。「だったらお前が政治家になれ」と言いたくなる。政治評論家と政治家を全部、取り替えてみろよ、と思ってしまう。結果は見えてるかもしれない。しかし、その〈現実〉を直視するところから再生は生まれる。そんな気がする。

4　ないものねだりはやめよう

（第46回　2010年3月17日）

「早稲田文学新人賞」授賞式の案内が来た。えっ？　俺の作品が受賞したのか、と驚いた。でも違った。他の人だった。大体、僕は応募もしてない。でも誰かが勝手に応募してくれたのかな、と思うじゃないか。あるいは、過去の作品を見て、勝手に賞をくれたのかと。冷静に考えたら分かることだ。これまで小説なんか書いたことはないんだし。でも、寝起きでボーッとしていた時だったんで、「あるいは」と思ったんだ。

それに、評論やエッセイを書いてる人にだって、いろんな賞があるじゃないか。大宅《おおや》壮一何とか賞とか、ジャーナリズム何とか賞とか。「鈴木さんは70冊も本を書いてて、何の賞ももらってませんね」と前の日、ある作家に言われた。賞のことなんて今まで一度も考えたことがない。でも、そう言われると、気になった。その翌日の「早稲田文学」からの手紙だったので、オッ！　と思ったのだ。

あっ、一度だけあったな。賞をかすったことが。フリーのジャーナリストを対象にした賞があった。10年前だ。そこにノミネートされたことがあった。「週刊ＳＰＡ！」に連載していた「夕刻のコペルニクス」だ。でも落ちた。だからもう一生ないだろう。

2年前、講談社から『愛国の昭和』を出した。「玉砕」のことを書いた。古くは、西郷隆盛の詩の中に「玉砕」という言葉はあるが、戦争中、言われた「戦死の強制」ではない。さらにその語源は中国の古典にあり、「玉砕」は全く違う意味だった。いろんな本を読み漁《あさ》り、漢文の先生に聞きながら書いた。書いていて、「これは推理小説のようだ」と思った。自分にとっては巨大な謎解きだ。大きなドンデン返しもあるし。本になった時、「江戸川乱歩賞に応募しようかな」と編集者に言ったら、「冗談がうまい!」と大笑いされた。傷ついた。かなり真面目だったのにな。

友達もいなくて、外にも出ないし、家に引きこもって本を読んだり、原稿を書いたりばかりしている。だから、フッと変なことを考えるのか。自意識過剰なのかもしれない。

おとといだって、新聞を読んでたら「クニオ新党」と出ていて、えっ? そんなこと俺は言ってないよ、と叫んだ。でも、鳩山邦夫のことだった。当然だよね。でも、佐高信《さたかまこと》さんとの対談『左翼・右翼がわかる!』(金曜日)が売れてるというし。ジュンク堂新宿店の「イデオロギー部門」では売上げ1位だというし。マガジン9条のデザイナーさんがつくってくれた、表紙の青空を飛ぶ紙ヒコーキが好評で、それで売れてるというし。もうすぐ増刷だというし。左翼・右翼を超えた新党をクニオ君はつくろうとしているのか、と思っちゃうじゃないか、本人だって。やっぱり、変だ。自意識過剰だ。

でも。と、これからが本題だ。「新党」をつくればそれでいいのか。それが「正しさ」の証明になるのだろうか。不思議だ。こんな古い、腐敗した連中とは俺は違う。そういう「アリバイ証明」になるのか。舛添要一も与謝野馨《よさのかおる》も自民党を批判し、「新党」を口にしている。自民党はもうダメだと言っている。もうすでに自民党を飛び出し「みんなの党」をつくった渡辺喜美《よしみ》は「自分は主義主張で新党をつくった。彼らとは違う」と批判していた。一緒にやる気はないのだろう。「新党をつくる気なら、まず自民党をやめてみろ」とも言った。「辞める覚悟」「新党をつくる覚悟」だけを言って、それで国民にアピールする。国民の気を引く。それだけではダメだと言ったのだ。

ところが昨日、鳩山邦夫は自民党を離党した。渡辺に言われたからなのか。これは立派だ。クニオ君は行動力がある。じゃ、渡辺の「みんなの党」にならって、新党名は「クニオの党」にしたらいい。〈国〉のことを考え、〈国〉のために生きろという理想と使命を担ってこの世に生を受けた人たちがクニオ君だ。だから日本中のクニオ君を結集して、「クニオの党」をつくるのだ。素晴らしい政党になるだろう。名前は違うがどうしても一緒にやりたい人は、役所に届け出て改名したらいい。名は体を表す。思想も表す。主義・主張以前の（生まれる前からの）使命感・理想で立ち上がるのだ。里見八犬伝や水滸伝《すいこでん》のようでもある。これこそ、世直しの壮大なロマンだ。

最近、あるパーティで自民党議員に会った。民主党は「期待外れだ」と、これだけ批判され、支持率が落ちているのに、なぜ、それが「自民党支持」に行かないのか。そのことを聞いた。その議員の答えがショッキングだった。明治維新ができて、「でもダメだ」「薩長《さっちょう》の政府じゃないか」と不満はあっても、「じゃ徳川幕府に戻そうと考えた人は誰もいなかった。それと同じですよ」と言う。自民党は、もう終わった徳川幕府なのか。じゃ、この議員も、新党を考えているのかもしれない。沈みゆく大型客船からボートに乗って脱出している人々のようだ。

だったら、自民党の谷垣総裁も、いっそのこと、自民党を飛び出して「谷垣新党」をつくったらいい。こんなに厳しい状況で、誰もやりたくない役割を引き受けて、頑張ってるのだ。それなのに、「お前が一番悪い」とボロクソに言われている。かわいそうだ。「谷垣新党」をつくったら、一切、批判もされないし、「よくやった!」「頑張れ!」と言われるだろう。

そんなことはないか。でも、鳩山邦夫、与謝野、舛添にしても同じじゃないか。今までずっと自民党にいて、「共犯」じゃないか。それなのに、イチ抜けた、で「新党」をつくったら過去は全て許され、クリーンだと称賛されるのか。おかしいと思う。

思い出した。鳩山邦夫が奇妙なことを言ってた。自分は新党の親分になるつもりはない。捨て石でいい。薩長連合をやった坂本龍馬のような役割をやりたいと。そこまではいい。その直後、「実は坂本龍馬と私は親類だったんです。これは最近分かったことですが」と言う。テレビで、はっきりと言っていた。でも、その瞬間、テレビは画面を切り替えた。

ヤバ！　と思ったのかもしれない。この人は以前、「友人の友人がアルカイダ」とか、変なことを口走った。変な癖がある。それを思い出して、切り替えたのだろう。でも突っ込めばよかった。家系図を調べて分かったのか。あるいは自分が、本当は鳩山家の人間ではなく、坂本家の人間だと知ったのか。衝撃の事実かもしれない。まあ、どっかの週刊誌が後追いをしてくれるだろう。と思ったら、3月17日付の「夕刊フジ」に出ていた。鳩山邦夫は、「私のいとこのいとこの、ひいおばあさんの弟が坂本龍馬さんだということが分かった」と説明したという。「ほぼ他人に近い親戚であるようだ」と「夕刊フジ」は言っている。

話があっちゃこっちゃに飛んでしまった。その場の雰囲気や、思いつきでものを言う。これは、クニオ君の癖だ。欠点だ。そこで結論だ。「ないものねだりをしてはいけない」ということだ。「これを倒せば次はいい人間が出るのではないか」で、ずっとやってきた。でも半年で期待は外れる。じゃ、この人間はどうだ。次はこの人間だ……と、取り替えてみる。でも大して違いはない。

田中角栄、細川、小泉……と、絶大な期待を担って登場した人々も、でも消えて行った。安倍、福田、麻生。そして政権交代後の民主・鳩山……。期待し、期待が外れ……その連続だ。繰り返しだ。「もっと偉大な人物が出なければ」と思っても、無理な話だ。そんな人物など出ない。いない。人物は、時代がつくるものだ。国民がつくるものだ。その土壌がないのだから仕方がない。

もし、間違って、龍馬や西郷が今の世に生まれかわっても、マスコミや国民は、小さなことで揚げ足を取り、スキャンダルを攻撃し、追放してしまうだろう。その国民性に合ったリーダーしか生まれないのだ。今、イエス・キリストが再臨したら、ただのカルトの、変な人間として、人々に追放されただろう。ドストエフスキーは『カラマーゾフの兄弟』の中で、そんなことを書いていた。

マスコミも悪い。政権交代だ、新党だと持ち上げておいて、半年もしたら飽きてしまい、「こいつもダメだ」と貶《けな》し始める。新聞を売るために。テレビを見てもらうために。

今の日本には、この程度の政治家しかいないんだから、仕方ない。ないものねだりはやめたらいい。政党があり、「党議拘束」があるから議員は何も言えない。ボスたちの言うままだ。ロボットになる。だから、党議拘束をなくしたらいい。いっそのこと政党もいらない。新党もいらない。議員だけでいい。その時々の法案に対し、自分で判断し、自分で決めたらいい。国民も、議員の人間性、力量だけで判断したらいい。

それでもダメなら、「国民参加」「国民投票」を実現したらいい。これだけネットも普及しているのだ。全ての法案に国民が参加する。何か問題があったら、国民投票をする。それでいいじゃないか。主権者は国民なんだから。今は、政治家だけが主権者だ。彼らに期待し、しがみつくしかない。「こいつはダメだ」「じゃ、こいつだ」「次は……」と、〈主権者〉を変えることしか考えていない。愚かな国民だ。愚かなマスコミだ。今こそ、我々が〈主権者〉だ、という自覚を持つべきだ。

5　連合赤軍化する日本

（第92回　2012年2月8日）

僕なんかでいいのかな、と思った。当事者、関係者、支援者。そして、この事件を調べている人は多い。本だって、100冊以上が出ている。1972年の連合赤軍事件だ。今年は、40年ということで、朝日新聞に原稿を頼まれた。それに僕は当時は〈敵〉だった。ひどい事件だと思ったし、信じられなかった。

連合赤軍の5人が「あさま山荘」に立てこもり警官隊と銃撃戦を演じた。40年前の2月だった。国民はテレビの前に釘《くぎ》づけになった。5人は逮捕されたが、その後、「査問・粛正」が発覚した。連合赤軍は内部の「リンチ」などで14名もの死者を出していた。陰惨な事件だ。これで日本の左翼は終わった。革命運動は終わった。そう思った。

「革命なんて考えるからだ」「ただの仲間殺しではないか」と言われた。それで断罪され、忘れられるかと思った。しかし、次々と本が出版されている。100冊以上になる。映画にもなった。漫画にもなっている。40年経っても、まだまだ謎なのだ、あの事件は。なぜ、あそこまで思いつめたのか。なぜ、敵ではなく、仲間を殺したのか。

40年前の事件が起きた時は、僕はよく分からなかった。警察やマスコミと同じ次元で批判していたと思う。また、仲間を殺す論理が分からなかった。山の中に閉じこもり、話し合う。闘いの方針を話し、そのうち、皆が「立派な兵士」にならなくては……と決意し、確認し合う。そこまでは分かる。左翼であれ、右翼であれ、そんなことはよくやる。そのうち、「自分はこの点が未熟だった」「これは失敗だった」と自己批判する者も出る。こんなこともよくある。

しかし、そこで終わらなかった。閉鎖的な状況だったからか。少ない仲間を、一人ひとり「立派な革命戦士」にしようと焦ったからなのか。肉体的暴力が加わった。はじめは〈愛〉だったんだろう。立派な革命家になってもらいたい、共産主義化してほしいと思って殴った。相撲部屋の「かわいがり」のような気分だった。と、事件に加わった植垣康博さんは言っている。彼は逮捕されて、27年間、獄中で暮らし、今は静岡市でスナックを経営している。彼とはよく会って話を聞いている。「運動部のシゴキのようでもあった」と言う。

事件のリーダー・森恒夫は高校時代は剣道部で、主将だったという。ある時、激しい稽古の中で、森は気を失った。カツを入れられ、我に返った時、全く新しい自分になったような感じがした。「その時の体験が大きいと思います」と植垣さんは言う。しかし、人間は一発殴ったくらいでは失神しない。「援助総括」で、皆で殴る。そして、死んでしまった。はじめは過失死だったかもしれないが、リンチはこれ以降も続く。そこで反省し、なぜそこでやめなかったのか。嫌ならなぜ、逃げ出さなかったのか。リーダーの森恒夫や永田洋子になぜ反対できなかったのか。

そんな謎に立ち向かうように、100冊以上の本が出た。これからも出るだろう。今年はじめに朝日新聞の記者に言われた。「その100冊を鈴木さんは全部読んでるでしょう。その中から何冊かを取り上げて、連合赤軍事件について書いてくださいよ」。えっ、僕でいいのかよ、と思った。「外部の人の方が、客観的に見れるし、全体像がつかめるでしょうから」と言う。「朝日新聞」(2月5日付)の「ニュースの本棚」だ。僕は100冊なんて、とても読んでない。しかし、かなり読んでるし、また、植垣さんをはじめ、関係者にもかなり会っている。だから、頑張って書いた。代表的な本としては3冊を挙げた。永田洋子の『十六の墓標――炎と死の青春(上下)』(彩流社)、植垣康博『兵士たちの連合赤軍』(彩流社)、パトリシア・スタインホフ『死へのイデオロギー――日本赤軍派』(岩波現代文庫)だ。そして本文の中でさらに何冊かの本を紹介した。

数年前、ロフトプラスワンで対談した時、植垣さんは言っていた。「この事件をどう理解していいか、皆、分からない。警察もマスコミも、裁判所もそうだ。だから、あの事件を、自分の分かるレベルに落として、理解したつもりになっている」と。

永田の「女性特有」の異常な性格のせいだ。森恒夫の「恐怖政治」で、他の人間はすくみ上がったのだ。一種の集団ヒステリー状態だった……と。これは、連合赤軍事件を語るようで、実は〈自分〉を語っているのだ。あの事件は「踏み絵」でもある。

朝日の原稿を書くために、主要な本は、読み直した。今も読み直している。そして、今でも新たな発見がある。あの事件で死んだ大槻《おおつき》節子さんは、連合赤軍に参加し、山に登る前の日記を残している。それが本になっている。『連合赤軍女性兵士の日記――優しさをください』(彩流社)だ。立松和平が、〈「革命」を信じていた時代の若者たち!〉と本の帯に書き、「既に奪われた生命と流された血を――序にかえて」でこう書いている。

〈遠くまでいったのはまさしく連合赤軍に参加した人々であった。(中略)そのうちの一人が大槻節子であった。時代の列車から最後まで降りなかったからこそ、時代の極北まで駆け抜けたといえるのだ〉

そうか、列車から降りなかったのか。こんな列車には乗っていられないと、降りた人はたくさんいたのに。それに、はっきりとした行く先も分からない。それでも「革命」を信じて乗っていったのだ。あまりにも真面目で、あまりにも考えすぎたからだろうか。

今、読み直して驚いたが、1970年11月の三島事件に触れて大槻さんは、こう書いていた。

〈三島の切腹、憂国の行動、まさしく彼らしき彼そのものの行動と死。うすっぺらな繁栄の、うすっぺらな安定の、地の影をまざまざと身によみがえらせる、暗うつなニュースだった。美、美そのものの展開、そしてあまりに形而上学的な、観念的な感覚的な行為と死〉

〈彼は狂気ではなかったし、たんに狂信でもなかった。
何ものかが彼をして意識的にそう高め（？）させた、と考えることは、私自身の内の〝三島〟なのだろうか、何かそう決めつけたくない〉

こんなことを感じていたのか。自分の中の〝三島〟だと言っている。とすれば、左翼だと思い、我々の「敵」だと思っていた人々の中にも、同じように衝撃を受け、内なる〝三島〟を感じた人は多いのだろう。他の連合赤軍関係者にも聞いてみよう。今月は、他にも「創」（3月号）に「連合赤軍40年」を書いた。また、「週刊金曜日」では植垣さんたちと座談会をやった。2月中旬には出るだろう。また、『田原総一朗の遺言』がＤＶＤになって売られている。レンタルも出している。第1巻は「永田洋子と連合赤軍」だ。事件直後、田原さんが撮ったものだ。それが40年経って甦る。

連合赤軍を描いた山本直樹の漫画『レッド』は今も続いているし（雑誌連載は2013年に終了。全8巻。講談社）、今年はさらに、事件関連本が出るだろう。これは決して、終わった事件ではない。結果は陰惨なものに終わり、失敗したが、革命への愛や夢や理想はあった。少なくとも途中までは……。それが、どこから変わったのか。それは考える必要がある。また、革命運動の「プラス面」は全て忘れられ、「マイナス面」だけは受け継がれている。つまり、自分のことだけ声高に叫び、小さな違いも許さず、他人の揚げ足を取るのだけがうまくなり、排外主義的で……。テレビの討論会だけでなく現代日本がそうだ。まさに、「連合赤軍化する日本」ではないか。連合赤軍事件は決して終わったのではない、今も続いているのだ。

6　日本人は「優しさ」を取り戻せるのか

（第115回　2012年12月26日）

12月9日（日）、「連合赤軍事件〈体験〉ツアー」に参加した。40年前のあの大事件の「史跡」をめぐるツアーだ。連合赤軍の人たちが潜んでいた洞窟、山小屋の跡。そして「総括」で殺された人が埋められた場所。警官隊と銃撃戦を展開した「あさま山荘」を見て歩いた。実は、この体験ツアーは、12月8日（土）、9日の2日間行われた。僕は、8日は先約があって、9日だけの参加になった。

他の用事だったら日程を移してもらって連赤に参加するのだが、8日は「従軍慰安婦」映画の上映とトークだ。トークの相手として呼ばれていた。これは出なければならない。日本人として逃げてはいけない問題だと思った。

今、この問題を取り上げるのは、かなり勇気がいる。かつてよりも、今の方がずっとタブーだ。取り上げる人もいない。取り上げようとすると右翼やネット右翼、保守派の人間がドッと抗議に押しかける。だからどこもやりたがらない。テレビでも新聞、週刊誌でも。ましてや、映画の上映なんかしない。黒い街宣車で取り囲まれて上映中止になる。何とか上映しても、客に紛れ込んだ右翼がスクリーンを切る。そんな心配がある。実際、そういう事件が何度も起こっている。だから、何もそんな危ないことはやめておこう、となる。

そんな時、この無謀な企画だ。〈「従軍慰安婦」映画を通して考える〉という企画だ。会場はオーディトリウム渋谷だ。12月8日は、午前10時から『ガイサンシーとその姉妹たち』の上映。その後、班忠義《はんちゅうぎ》監督と僕のトーク。12月9日は、『戦場の女たち』の上映。そのあと、関口祐《ゆ》加《か》監督と金平茂紀《かねひらしげのり》さん（テレビ・ジャーナリスト）のトーク。司会は2日とも、「シグロ」代表の山上徹二郎さんだ。「シグロ」は、この二つの映画を配給してる会社だ。

今、「従軍慰安婦」映画を上映したら抗議は来るし、危ない。「従軍慰安婦なんてなかった！」「もう済んだ話だ」「証言者の話は皆、嘘だ！」と言って抗議が殺到する。その中で、証言者の声も、いや、歴史も消されてゆく。そういう状況に「シグロ」の山上さんは憂いを持ち、怒りを持つのだ。今、なぜ、この映画を上映するのか。山上さんは、映画の宣伝チラシの中で、その覚悟をこう語っている。

〈このところの「従軍慰安婦」の問題についての政治家の発言やマスコミの態度があまりにひどいと思うことが多くて、我慢がなりません〉

〈このままでは人を信じられなくなりそうです。やはりここではっきり発言しておいたほうがいいなと思って、今回この映画を企画しました〉

〈歴史的な事実を前にして嘘をつくというのは人として品性下劣ということになります。歴史

的事実を知らないというのなら、そのような無知は政治家である前に人間失格ということになります〉

凄い覚悟だ。映画も、大変な苦労をして撮った。日本の生き残りの兵士にも話を聞いている。「慰安婦はいた。利用した」と証言する兵士。一方、「そんなものはいなかった。嘘だ」と怒る兵士もいる。これは、バランスの取れた映画だ。決して一方に偏しアジる映画ではない。たぶん、この兵士のいたところには、いなかったのだろう。だから嘘を言ってるのではない。普通、映画のアピール度を強めようとした場合、こうした「証言」は外す。自分は「知らなかった」ことを、他でも「なかった」と強弁してるのだから。でも、監督はあえて入れている。また、「戦争犯罪に問われるので、文書などは焼き捨てた」と証言した兵士もいた。これは（彼らにしてみたら）当然だろう。従軍慰安婦の存在、命令などの書類も焼き捨てた。

よく保守の人は「従軍慰安婦なんかいなかった。そんな軍の文書もない。命令書もない」という。だから「そんなものはなかった」と言う。しかし、戦争に敗れ、次に軍事裁判が始まる。それを前にして、不利な証拠は全て、焼いたのだ。そう証言する兵士を見て、こっちの方が真実だと思った。

僕らが中学・高校の頃は、戦争映画では必ずといっていいほど、従軍慰安婦が出ていた。ズラリと兵隊が並び、順番を待つ風景が必ず出ていた。しかし、今はこんな光景は出てこない。

抗議を恐れて、歴史を歪曲《わいきょく》しているのだ。また、慰安婦は業者が勝手に募集して、勝手についていった。と言う人もいる。しかし、嫌だったら日本軍が追い払えばいい。でもそんなことはしなかった。船に乗るのでも一緒に乗せている。少なくとも、一緒についてくるのを許可している。これでは「従軍慰安婦」と言われても当然だ。

それに日本の歴史を見れば、いいことばかりではない。戦争をやったり、テロやクーデターが横行したり、侵略戦争をしたり、他国を植民地にしたり。南京大虐殺、従軍慰安婦の問題もある。それに対し「そんなことはなかった！」と言い立てる人がいる。日本は清く、美しい、正義の国であって、そんな悪いことをするはずがない。そんなことを言うのは売国奴だ。反日だ！　と言う。「暗い面」「悪い面」はなかったと強弁する。また、あったかもしれないと薄々感じたとしても、なるべく「見ない」ようにする。それが愛国者だと思っている。

その感じは、今の「愛国者」にもある。皆、ひ弱な愛国者だ。正義の国だと信じている。いや、そう信じたいのだ。そういう「想像」「願望」の歴史の上にのっかった国家であり、「愛国心」だ。脆弱な愛国心だ。

個人の歴史だって、100%完全な正義の歴史なんてない。「あの時にああすればよかった」「あの時は失敗した」と、いくらでも反省すべき点はある。ましてや、個人の集まりでもある国家は、なおのことそうだ。全く弁明できない失敗もたくさんある。それでも、この国をいとおしいと思う気持ち。それこそが愛国心だろう。

自分の国に問題はない、悪いのはまわりの国々だ。彼らのせいで我が国はいつも危機にさらされている。そんな国は、やっつけろ！　なんて言うのは、「愛国心」ではない。班監督とは、そんな話をした。

昔、「週刊ＳＰＡ！」に「夕刻のコペルニクス」を連載していた時だ。従軍慰安婦の映画についてて、ずいぶんと取り上げた。右翼に抗議されたことも何度もあった。誌面で論争したこともあった。また、『従軍慰安婦』（三一書房）という本を書いた千田夏光《せんだかこう》さんとも何度か話をした。その頃のことを思い出しながら、班監督と話をした。

今、思い出したが、千田さんは「従軍慰安婦というのは、日清・日露戦争の頃はなかった。太平洋戦争から始まったのだ」と言っていた。あの話は強烈だった。なぜなのか。日清、日露の頃には日本はまだまだ遅れているという謙虚な気持ちがあった。西欧列強に追いつきたいと思っていた。「世界の目」を意識していた。だから捕虜だって虐待しない。むしろ優遇した。たとえ負けたとはいえ、勇敢に戦った兵士だ。といって優遇したのだ。武士道が残っていた。

ところが、太平洋戦争になると、国民皆兵だ。もう「武士道」を分からない人も大量に入ってくる。恐怖や怒りで、捕虜を虐待したり、殺したりする。従軍慰安婦も、そんな中で生まれた、と言う。そうだったのか、と思った。

「週刊SPA!」の連載は、右翼や保守の人には、あまり評判はよくなかった。抗議されたり、怒鳴られたりもした。中には、「頑張れ!」と言ってくれる人もいた。「従軍慰安婦の問題について、無視したり、なかったと強弁するのは、日本人としての優しさがない」とその人は言う。日本人が本来持っていた優しさを失ったからではないかと言う。

例えば二・二六事件の時、東北の田舎では食べられなくて、自分の家の娘を売った例もある。そんな東北の出身の兵士たちがたくさんいた。そんな現状を見かねて、日本を立て直したくて、二・二六事件を起こした。そんな兵隊たちの純真な気持ちに人々の同情も集まった。

右翼の人たちは、二・二六事件を褒め称えている。しかしその兵士たちの純真さも優しさも、もう理解できなくなっている。そう言われた。

今回、上映会をやった山上徹二郎さんは、「このままでは、人を信じられなくなりそうです」と言う。同じ憂いだろう。対談ではそんな話をした。日本人の「優しさ」「思いやり」を取り戻すためにも、こうした上映会やトークは大切だと思った。

7　僕らはずっと負け続けている

（第126回　2013年5月29日）

〈家庭でも学校でも会社でも、私たちは「どうやって競争に勝つか」を教えられる。あらゆるメディアが「勝つ」方法をうるさく教えてくれる（株式投資で、競馬で、恋愛ゲームで）。それがグローバル資本主義社会の風儀らしい〉

という。内田樹《たつる》の『昭和のエートス』（文春文庫）を読んでたら、出ていた。そうだよな。努力したから皆、勝てるわけではない。いろんなスポーツで頑張ってやったって、オリンピックに行ける人は、ほんの少数だ。例外的存在というか、奇跡に近いだろう。オリンピックを目指しながら、オリンピックに行けない人はたくさんいる。その人たちは「負け」たのかもしれない。そうすると、「負け」た人の方が圧倒的に多いのだ。だから「勝つこと」だけを教えられても意味はない。

何も、僕らはオリンピックを目指しているわけではない。ずっとずっと小さな目標を立てて努力し、生きている。「これは勝ったと言えるかな」と少しは思う時もある。「どうも、これは失敗だな」と思う時もある。だが、人生は「勝ったり、負けたり」……だろう。と思ってきた。でも内田は違う。こう言うのだ。

〈しかし、現実の生活では、私たちは決して「勝ったり、負けたり」しているわけではない。むしろほとんどの場合、私たちは「負けたり、負けたり」しているのである〉

えっ、と思った。「勝ったり、負けたり」ではなく、「負けたり、負けたり」だという。じゃ、僕らはずっと負け続けているのか。嫌だな。全く、救いのない話だと思った。

それにもかかわらず我々が勝負事に熱中するのは、「勝つため」ではないという。さらに、こう言う。

〈「適切な負け方」「意義のある敗北」を習得するためである。私はそう考えている〉

そんなことはないだろう。目指すのは、あくまでも勝利である、と反撥した。たとえ負けても、それでもいい。「負けた時に、どう対処すればいいか」。それを学んだらいい。でも、ここで内田は高校野球の話をする。僕はオリンピックの話をしたが、高校野球の方が分かりやすい。

夏の甲子園高校野球には4000校以上の高校が参加する。ところが、

〈勝利するのは一校だけで、残りはすべて敗者である〉

これは残酷な現実だ。圧倒的に多い「敗者」を量産するために野球大会は行われているのか。違うだろう。この大会に何らかの教育効果があるとすれば、「どうやって勝つか」を会得することではない。その教訓を活かせるのは、たった1校しかないわけだから。では何のためにやるのか。

〈しかし、現実には、高校野球が有効な教育事業であるということについては社会的合意が成立している。参加者のほとんど全員が敗者であるイベントが教育的でありうるとしたら、それは「適切に負ける」仕方を学ぶことが人間にとって死活的に重要だということを私たちが知っているからである〉

これは今まで気づかなかった。あくまでも、「勝つ」のが重要で、それを目指すべきだ。万が一、負けても、そこでくじけず、立ち上がれ。と激励するのだと思っていた。ところが、「勝つ」のではなく、「負ける」ことを通して学ぶのだという。でも、何を学ぶんだろう。内田は三つのことを挙げる。

〈「適切な負け方」の第一は、「敗因はすべて自分自身にある」というきっぱりとした自省である。負けたのはチームメートのエラーのせいだとか監督の采配が悪かったからだとか言い逃れをする高校球児は誰からのリスペクトも得ることができないだろう〉

ここまで読んできて、あっ、そうかと納得した。「自分は悪くない。まわりの奴が悪いんだ」「他の連中だって同じことをやってるのに、なぜ、自分だけが批判されるのだ」……と弁明する人がいる。大人には多い。政治家でも多い。「慰安婦は世界中にいた。なぜ日本だけが謝らなくてはならないのか」と言う政治家がいる。「日本のことを言う資格はあるのか。彼らが謝ったら日本も謝ってやる」……などと、子供のけんかよりもひどい。だったら、高校球児に教えてもらったらいい。

そうか、高校球児は、「適切な負け方」を習得しているのか。「適切な負け方」の第二、第三は……。

〈第二は、「この敗北は多くの改善点を教えてくれた」と総括することである〉

〈第三は「負けたけれど、とても楽しい時間が過ごせたから」という愉快な気分で敗北を記憶することである〉

そうか。「勝利」よりも、学ぶことが多いのだ、「敗北」の方が。だから高校野球に「学ぶ点」があるのだ。こんな見方は今まで知らなかった。内田は現在、神戸女学院大学の名誉教授だ。そして合気道の先生でもある。道場も持っている。合気道は、柔道もそうだが、まず、徹底的に「受け身」を学ぶ。言ってみれば、「負け方」を学ぶ。負けた時、ダメージが少なくなるように「受け身」を学ぶのだ。はじめから、「投げ方」「押さえ方」「しめ方」を教える先生はいない。内田は、たぶん、合気道を通し、こうした「適切な負け方」を知り、言ってるのだと思う。

人生においてもそうだ。まず〈受け身〉の練習をすべきだろう。失敗した時、気落ちした時、もうダメだと思った時。どうすればいいか。それが人生の〈受け身〉だ。「勝つこと」だけを追求している人は、折れやすい。また、折れたら、再起が難しい。

2カ月に一度、西宮で「鈴木ゼミ」をやっている。7月7日（日）には、内田樹さんをゲストに迎えて、やる。

テーマは〈溶解する国民国家＝グローバリズムと新自由主義経済のその後〉だ。それで内田さんの本を集中的に読んでいる。ゼミでは、この「適切な負け方」について、じっくり聞いてみたいと思う。

先の戦争についても、「いや、本当は負けてないんだ。ルーズベルトの陰謀にやられたんだ」「日本だけが悪いのではない。外国も同じことをやってたじゃないか」……といった人々が最近は増えてきた。スポーツを通じて、「適切な負け方」「受け身」を学ぶべきだろう。

8　「安全」「安心」「平和」を求める国民の不安がつくり出した法律

（第141回　2013年12月25日）

もう、「監視カメラ」なんて言えなくなったな。「防犯カメラ」のおかげで犯人は捕まったんだから。以前は、「これは国民を監視するものだ。許せない！」と言ってたのに。日本中に「防犯カメラ」があったおかげで、『黒子のバスケ』脅迫事件の犯人は捕まったんだ（同作品の作者に脅迫が続いていた）。

脅迫状を送っていただけでは捕まらなかっただろう。ところがコンビニに毒入り菓子を置いたりした。コンビニには防犯カメラがある。こりゃ、捕まるかもしれないな、と思った。でも、コンビニでは、日数が経ってるので消してしまったという。いや、そう新聞に発表して、犯人を油断させたのかもしれない。そう言ったら、「カメラは、いろんなところにあるから写ってます。警察は追いつめているでしょう。逮捕は時間の問題ですよ」と篠田（博之）さんは言う。篠田さんは月刊「創」の編集長だ。12月15日（日）阿佐ヶ谷ロフトで、篠田さんと『黒子のバスケ』脅迫事件について話していたのだ。この直後、店の人が紙切れを持って走ってくる。「犯人が今、捕まったそうです。ニュース速報でやってました」。凄い。篠田さんの言うとおりになった。

かつて、グリコ・森永事件があった。また、朝日新聞記者を殺害した赤報隊事件があった。両方とも、凶悪犯罪だし、膨大な「犯行声明文」を出し、警察をキリキリ舞いさせた。グリコ・森永事件は「かい人21面相」を自称していた。「劇場型犯罪」と言われ、脅迫文や犯行声明文で警察、マスコミ、国民が動かされていた。俺が日本を動かしている。地球を回している……と、高揚を感じたのだろう。だから、「愉快犯」と言われた。

21面相も赤報隊も捕まらないまま、姿を消した。時効になった。二つの犯罪を真似たのだろう。『黒子のバスケ』脅迫犯は膨大な量の犯行声明文を出し、月刊「創」にも届いた。「創」は大きく取り上げた。そのこともあって、阿佐ヶ谷ロフトでのイベントになった。ただ、ロフトで取り上げたのはこの事件だけではない。この日のテーマは、〈2013年日本を騒がせた2つの〝闇〟に迫る!〉だった。第1部が「『黒子のバスケ』脅迫事件の真相」。第2部が「ヘイトスピーチとネトウヨ」だった。第2部のゲストとして山口祐二郎氏と僕が出た。

早めに行ったら、「第1部から出てください」と篠田さんは言う。でも、事件のことはよく知らないので客席で聞いてますよと言った。第1部はゲストはなしで、篠田さんが一人で話す。人気漫画『黒子のバスケ』に関し、出版社や関連イベント会場などに大量の脅迫状が送りつけられた。内容が許せないとか、「反日だ!」というのもある。何と500通もの脅迫状を出したという。これも凄い。作者に対する恨みなのか。内容に許せないところがあり（「反日的」だとか）、その義憤でやったのか。単なる愉快犯なのか。５００通も送ったが、マスコミにはまともに取り上げてもらえない。その焦りからなのか、「創」には今までの脅迫状の全てを送ってよこしたという。「創」ならキチンと取り上げてくれるという「期待」があったのかもしれない。

「創」は田代まさしさんや、カレー事件の林眞須美《ますみ》さんなど、いろんな事件の手記を載せている。そのことを知って、脅迫状のワンセットを送ってきたのだろうと篠田さんは言う。「作者に対する個人的な恨みではなく、この漫画が大人気になったことへの嫉妬でしょう。『反日』などと書いてるが、政治的背景はないでしょう。愉快犯的な人物で、30代の男でしょう」と言う（実際、そのとおりだった）。

第1部はスライドを使いながら、脅迫事件について説明し、事件の経過について話をして、終わる。10分間の休憩の後、第2部がスタート。はじめは、在特会などのヘイトスピーチデモについて話す。それに反対して「しばき隊」にも参加した山口祐二郎氏の報告も聞く。ネトウヨ現象などについては僕が話す。

ただ、第1部の『黒子のバスケ』脅迫事件が気になったので、篠田さんに、いろいろと聞いた。僕も「政治的背景」はないと思う、と言った。大体にして、右翼・左翼・市民運動をしてる人や、少しでも政治的背景のある人ならば、絶対に、「犯行声明文」などとは言わない。法律に触れる行為であっても、やってることは正義だと思っている。だから、「檄」とか「声明文」とは言っても、「犯行声明文」などとは言わない。これは警察が決めつけ、マスコミが報道する時の言葉だ。

それに、500通もの大量の脅迫文を出すなんて、ちょっと異常だ。「革命的警戒心」もない。さらに、コンビニに毒入り菓子を置いたりしている。

脅迫犯が模倣した「グリコ・森永事件」や「赤報隊事件」。あれは時間もかけ、かなりの準備をし、「プロ的」なやり口を感じる。しかし、今回は、あまりにアマチュア的だ。だから捕まったのだろうと僕が言ったら、「いや、違います」と篠田さんは言う。「今、プロ的と言ったけど、グリコ・森永事件や赤報隊事件でも、今なら完全に捕まります」と言う。防犯カメラはそれだけ性能がいいし、進化している。また、ネット上での捜査手法も格段に進んでいます、と。

そうなのか。危なかった。事件に直接のかかわりはないが、赤報隊の犯人（らしきグループ）が僕に接触をしてきた。そのことを当時、「週刊SPA！」に書いたら、それだけでガサ入れ（家宅捜索）された。「こいつは何か知ってるんじゃないか」と思われたのだ。また、何度か別件逮捕された。時効寸前には、アパートに火をつけられた。警察は張り込みをしてたはずなのに、その監視の目をかいくぐって火をつけたのか。まさか警察は黙認したわけではないだろう。

僕は、いろんな人に会っている。自分でもよく覚えてない。中には不審な人や、犯罪にかかわった人もいるだろう。その「犯人」たちと、何らかの接触があって、どこかの防犯カメラに写っていたら、これはもう「立派な証拠」になる。逃げられない。その時は、「負けました、ごめんなさい」と言うしかないのか。

今回の「犯人逮捕」で、さらに防犯カメラが増えるだろう。「悪いことをしてないんだから、何を撮られても大丈夫だ。それに犯罪の予防になるし、いいことだ」と一般の国民は思っているだろう。「個人だって隠したい秘密はあるのだから、国家だってあるだろう」と、漠然と国民は思っている。それで「特定秘密保護法」も簡単に通った。中国・韓国にやられ放題でいいのか。国の守りをしっかりしろ、という「国民感情」に押されて、「憲法改正」に進みつつある。権力が力ずくで国民を脅しているわけではない。「安全」「安心」「平和」を求める国民感情が求めているのだ。少なくとも、そう思わされている。そんな、国民の不安な感情に乗っかって、次々と法案がつくられている。そんな感じがする。

9 「潜水病」にかかってしまった日本

（第158回　2014年9月3日）

池田香代子さん（ドイツ文学者）と「潜水病」の話をした。8月30日（土）、「デモクラTV」に出たので、もっぱらその話をした。池田さんが会いたい人、100人に聞いていくという企画で、僕は16人目。池田さんは、僕の『失敗の愛国心』（イースト・プレス）を読んでくれ、これを中心に話しましょうと言う。ありがたい。「愛国心」は素晴らしいことのように言われるが、その面だけでなく、それを持ったがゆえに集団的狂気に陥ったり、暴走したりもする。危ない面もある。その話もしましょう、と言った。

『夜と霧』に出てくる「潜水病」の話と同じかもしれない。というところから話は始まった。ヴィクトール・E・フランクルの『夜と霧』（みすず書房）を池田さんが翻訳している。これは世界的な名著だ。ナチスの強制収容所を体験した心理学者のフランクルが書いた本だ。そこに「潜水病」の話が出てくる。地獄の体験で、次々と死んでいく。奇跡的に助かった人にも、いろんな苦難が待ち構えている。潜水病は、〈潜函《せんかん》労働者が（異常に高い気圧の）潜函から急に出ると健康を害するように、精神的な圧迫から急に解放された人間も、場合によっては精神の健康を損ねる〉という病気だ。

解放されてみたら、地獄の生活の中で夢見た自由な社会じゃなかった。あるいは、「そんなに大変だったのか」とみんなが認めてくれない。それに俺はこんなに苦労したんだから、少しぐらいいい目をしてもいいだろう、と、自分勝手なことをしてしまう。社会的倫理を無視したり、あるいは違法行為をしてみたり……。

これは、左右の思想運動や宗教運動をしている人も、陥りがちなことだ。「私たちはこんなにいいことをしている。世の中のために、頑張ってきている。こんなに正しいことをしている。それなのに、人々は分かってくれない……」という思いを持ちやすい。僕自身もそう思っていた時期がある。

いや、運動団体だけでなく、国家全体が「潜水病」になることもある。日本は外国から理不尽な批判や侮りを受けてきた。「南京大虐殺」をやった。慰安婦の強制連行をやった。捕虜を殺した……。全くやってないことだ。我々の先輩たちは、嘘によって罵倒されてきた。それを晴らさなくてはいけない。そう言って、「日本は悪いことを何もしていない！」「悪いのは中国、韓国だ！」と絶叫している。これも「潜水病」なのかもしれない。

昔はもっと謙虚な民族だったと思うのに、最近はやたらに威張り散らす。居丈高だ。「日本には悪いところは何もない。世界は日本に皆、感謝している。文句を言っているのは、中国と韓国だけだ」と言う。また、そんな本ばかりが売れている。『中国が世界地図から消える日

――狡猾な中国ネズミは沈み行く船から逃げ出し始めた』（光文社）なんて本もあった。

それに心配なことがある。個人や集団の「潜水病」ならば、批判する人もいるし、客観的に見る人もいる。だから、「これはやりすぎかな」「これはいけないかな」と、本人たちも気づく。反省もする。ところが、国家全体が「潜水病」になっていると、それに気づかない。客観的に見られないからそのままだ。「潜水病では？」と気づく人がいても、「それは反日だ！」「お前には愛国心がないのか！」とピシャリと叩かれる。


正義や愛に基づいた運動は素晴らしい。ただ、それだけにこり固まると、一切の批判を許さない。非寛容な運動になる危険性もある。僕は、そんな場面を嫌というほど見てきた。また、「正義や愛」は暴走した時、それを止めることも、批判することも難しい。一緒になって熱くなることを求められる。冷静に見ることができなくなるのだ。「愛国心」の運動もそうだ。あるいは、こうも言える。「愛国心」を超えるものを持っていなければ、「危ない」ということだ。三島由紀夫は、45年前「『愛国心』という言葉は嫌いだ」と言った。自分一人がポンと飛び出して、上から日本を見て「愛す」という思い上がった視点があるという。

僕は高校生の時、「生長の家」の運動をやった。母親が信者だったので入ったのだ。宗教だけれど、かなり愛国的な宗教だった。高校生の時は「生高連」という組織があり、「生高連の歌」があった。その中に、こんな歌詞があった。〈愛国の情、父に受け〉。これはいい、素直に分かる。次だ。〈人類愛を母に受け、光明思想を師に学び〉。あっ、これがあったので今、自分は排外的な愛国主義にならなかったのか、と思う。

「愛国心」は大事だ。しかし、それだけでいいのではない。愛国心を超える「人間愛」も必要だとして「光明思想（宗教）」も必要だと言っているのだ。高校時代は、分からなかった。毎日のようにこの歌を歌いながら、その意味するところは分からなかった。今にしてやっと分かる。

ヘイトスピーチのデモや、中国や韓国をただ罵倒していては、国を超えるものがない。この国だけが全てだ。それに反対したり、超えたりするものは許せない。それこそが「愛国」だと思いつめているのだろうか。「潜水病」だ。また「いつまで謝ればいいのか」という人もいる。今まで「謂《いわ》れのない」誹謗《ひぼう》、中傷を浴びてきたのだからこれからは倍返しだ。10倍返しだ、と叫ぶ人もいる。「朝日新聞の訂正」以来、さらにエスカレートしている。「朝日は廃刊にしろ！」と叫んでいるマスコミもある。また、鬼の首でも取ったように、「日本の軍人は悪いことは何もしていません」「南京大虐殺も強制連行もありませんでした。日本の軍人は世界一、道徳的な軍人でした！」と言っている人もいる。今までは世界からいじめられていると思っていた。その「深海」から今、急激に海上に出てきた。そんな気持ちなのだろう。それは「病」

だ。冷静に根気よく対処するしかないだろう。

10　「三島の不在」は、あまりに大きい

（第168回　2015年1月28日）

週に一遍、予備校で教えている。1月は22日（木）から始まった。その前に、1月14日（水）に、全体会議があったので行った。早めに着いたので、自習室で勉強していた。授業はまだ始まっていないのに、学校に来て勉強している生徒がたくさんいた。受験生と一緒に勉強していると自分も受験生のような気分になって、緊張し、仕事もはかどる。皆、熱心に勉強している。テキストや勉強道具の他に、小さな赤い花束を机の上に置いている生徒がいた。あれっと思って、聞いた。「フェロー〔学習や進路の相談などに乗る担当〕の武田さんが、今日誕生日なんです」と言う。それで、これから持っていくという。優しい子だな、と感動した。

1時間ほど勉強して、会議に出た。学校のスタッフ、講師たちが集まっている。フェローの武田さんもいたので、「お誕生日、おめでとうございます」と言った。「あっ、ありがとうございます」と言いながら、驚いている。「でも、どうして知ってるんですか」と言う。「生徒に聞いたんです」と白状しそうになった。「あっ、鈴木さんにとっては、今日は大事な日ですものね」と言う。「でも、あんな大作家と同じ誕生日なのに、私は別に劇的なこともないし。文学的才能もないし」と言う。意外な展開だ。誰と一緒の誕生日なんだろう。しばらく話をしてい

て、分かった。三島由紀夫なのだ。だから僕にとって「大事な日だ」と彼女は言ったのだ。

しかし、三島信奉者、三島ファンの人でも、この誕生日はあまり知らない。亡くなった日のことは皆、知っているし、今でも全国で追悼・顕彰の集まりが行われている。11月25日だ。だが、生まれた日はあまり知られてない。生きているうちは誕生日のお祝いもするが、亡くなってからはしない。もっとも最近は、「生誕100年」「生誕200年」という言い方をすることもあるが。「今、生きていたら何歳だ」と思い出すのだろう。外国ではよく言われるのかもしれないが、日本では、つい最近だ。それに「生誕200年」と言うと、もちろん、亡くなった人だと分かるが、「生誕80年」「生誕90年」となると、果たして生きている人の誕生日なのか、亡くなった人の「生きていれば……」という誕生日なのか、分からない。そんな紛らわしさがある。

自分たちと同年代の人たちに対しては、亡くなってから何年……という方が分かりやすいし、「あっ、あの時は……」と思い出す。それが「生誕……」と言われると、自分たちも急《せ》かされているようで、不安な気持ちになる。

三島由紀夫が市ヶ谷の自衛隊の駐屯地で自決したのは1970（昭和45）年11月25日だ。

この時、三島は45歳。共に自決した森田必勝《まさかつ》は25歳だ。この「三島事件」から45年が経った。そうすると、今年は「三島由紀夫生誕90年」だ。森田必勝は70歳だ。二人とも、あの事件がなかったら、今も元気で活躍していたんだろう。森田の70歳は当然だが、「90歳の三島」だって、小説を書きまくり、講演し、行動していただろう。でも、二人のことだ。70年の自決はなくても、その後、45年も安穏には生きなかっただろう。そんなことを、取り留めもなく考えた。

今なら、90歳以上でも元気で活躍している人がいる。年末に会ったが、93歳の反骨写真家の福島菊次郎さんがいる。学生運動、三里塚、自衛隊、原発……を撮り続け、今の右傾日本に「NO」を言い続けている。「相手に問題があるのならば、それを撮るのに法律をおかしてもかまわない」と言う。凄い覚悟だ。また、それを実行している。問題を起こし、暴漢に襲撃され重傷を負ったこともある。自宅に放火され全焼したこともある。それでも闘いをやめない。不屈の93歳だ。

そして、103歳の日野原重明さんがいる。聖路加国際メディカルセンターの理事長だ。今でも本を書き、全国で講演している。100歳になる直前に月刊「創」で僕は対談した。元気一杯だった。6年先までスケジュールは一杯だという。元々は体が弱く「60歳までは生きられないだろう」と医者に言われていた。ところが、58歳の時、乗った飛行機がハイジャックされた。1970年3月の「よど号」ハイジャック事件だ。死ぬかもしれないと思った。幸い日本に帰ってこられた。あとの人生は「おまけだ」と思った。そう思ったら、気が楽になって、100歳まで生きた、と言う。1970年3月に日野原さんは「再生」し、今、103歳だ。よど号ハイジャックから約半年後、1970年11月に三島は自決した。今年は「生誕90年」だ。103歳の日野原さんは、この日本をどう見るのだろうか。また、会って話してみたい。また、「90歳の三島」はどう見るのだろう。

三島の死のおよそ1年3カ月後、連合赤軍事件が起きる。そこに参加して、27年も獄中にいた植垣康博さんは言っていた。「あの時、三島が生きていたら、あれだけで左翼が終わることはなかった。三島の不在は大きかった」と。連合赤軍事件は、さんざんに言われた。「革命などを考えるから仲間殺しになるんだ」「世の中を変えるなんておこがましい。自分のことだけ考えていればいいんだ」と。確かにひどい結末だったが、はじめは夢があり、愛があり、変革の希望もあった。だが、結果だけを見て、それらも全て否定され、つぶされた。それ以降、若者たちからは「革命」も「変革」も「運動」も奪われた。若者だけではなく、日本人全体が内向きになり、排外的になっている。三島がいたら、もっと別のことを言ってくれただろうと植垣さんは言う。今回の事件への反応もそうだ。日本人二人が「イスラム国」に捕まえられた。ネットでは、冷たい反応が満ち満ちている。「テロに屈するな」「要求をのむな」「二人は死を覚悟して行ったのではないか」と。さらに、捕らわれた二人、ナイフを突きつけたテロリストを真似て、「イスラム国」ごっこをする写真も投稿されている。「殺害予告時間」のカウントダウンをするテレビ局まであった。暴挙だ。これではもう「国家」ではない。三島由紀夫が生きていたら、何を思い、何を言うのだろうか。政治家や評論家、一般国民の声に激怒して、「お前ら、それでも日本人か！」と言うだろう。「俺が一人で救出に行く！」と言うだろう。「三島の不在」はあまりに大きい。

11　どうして老人が「過激派」になるのか

（第179回　2015年7月8日）

アッという間に決まってしまった。18歳以上に選挙権が認められた。来年の参院選から実行される。高校でも、選挙や政治について教えなくてはならない。でも、「偏向教育」はダメだという。つまり、教師の感想や考えを入れてはダメだということだ。あくまで客観的に話せということらしい。これは難しい。自民党、民主党、公明党、社民党、共産党といった具体的な政党名を出さないと日本の政治を語れない。あるいは、教師は政党の名前を一切出さないで政治や選挙について語るのか。それは無理だ。だったら、現実の政党名を出さざるを得ないし、その一つひとつを説明する時に、喋る時間の長さも違うだろう。好き嫌いの感情も出てしまうだろう。これも「偏向教育」になるのか。

この前、「ビートたけしのTVタックル」という番組を見ていたら、「18歳の選挙権は早すぎる。反対だ」と言ってた人がいた。「日本人全体がどんどん幼くなっているんだし、20歳でもまだ早い。22歳からでいいじゃないか」と言っていた。これは面白い。選挙権をもらう18歳だって困る人は多いだろう。「僕たちに選挙権はいりません」とデモをやったらいい。「選挙権返上」運動だ。「汚れた政治の現場に巻き込まないでほしい。20歳までは静かに勉強させてほしい」という声があってもいいのに……と思う。

それに「18歳選挙権」というのは、18歳をもって「大人」と認めることだ。そうなると次は「少年法」も撤廃されるだろう。いや、18歳までの少年は、学習の機会も少なく、社会のことをよく知らないでおかす罪が多い。だから、大人と同じ罰を科すべきではない、と言って「少年法」に賛成する人もいる。今や少数派になりつつあるが貴重な意見だ。永山則夫などは確かにそうかもしれない。自分は貧しくて全く勉強もできなかった。だから犯罪に走ったのだと懺悔し、獄中で『無知の涙』（合同出版）を書いた。買って読んだが、凄い本だった。中でもの凄い勉強をしたのだ。

ロクに教育を受けられず、世の中のことを知らずに、だから犯罪に走ってしまう。そんな子供たちを見守り、教えることを怠った社会にも責任がある。ということだろう。だったら、老人の場合はどうか。十分に学習し、世の中を十分に知りながら、それでも罪をおかす老人がいる。この年まで生きてきて、何も学ばなかったのか。と疑問を持たれるような老人もいる。だったら、少年法とは逆に、「老人法」をつくり、成人よりも重い罪を科するべきだ。ということにもなるだろう。「週刊朝日」（7月17日号）を見たら、巻頭特集がこれだった。

〈新幹線焼身自殺テロ　下流老人の復讐〉

6月30日に起きた事件だ。ガソリンを車内にまき、その後ガソリンをかぶってライターで火をつけて自殺した。車内で火災が起き、煙が充満し、それで女性が1人亡くなった。「焼身自殺」だけでは済まない。これによって他に犠牲者を出しているのだ。それで「焼身自殺テロ」と書いたのだろう。テレビでは連日、この事件が大きく報道されていた。また、翌日「高齢者ストーカー」が激増したと言っていた。コンビニで女子店員からおつりをもらった時、とても優しく渡してくれた。「これは自分に好意を持っている証拠だ」と思い、ストーカーになったという。「犯人」が告白していた。おつりが落ちないように、しっかりと手から手へ渡す人もいる。まるで自分の手を握るようにして渡す。僕も、そんな渡され方をして、あれっと思ったことがある。でも、ストーカーにはならなかった。それだけの実行力がなかったからだ。

しかし、好意を持っていると勘違いしてストーカーになった人は、あるいは、今の世の中のことを「学習」してないのかもしれない。今の社会を「知らない」。今の社会の人々のことを「知らない」「学習してない」から起こす犯罪なのかもしれない。じゃ、「老人法」で成人より厳しく罰するのは酷か。6月30日の事件後、知り合いの人からずいぶんと電話があった。下流老人が、自分は恵まれていない、抑圧されていると思い、自殺した。「お前と同じじゃないか」と言う。自分はこんなに努力しているのに報われない。社会から受け入れてもらえない。悔しい。だから死んでやる。それも、人のたくさんいるところで華々しく死んでやる。そう思ったのだろう。その事件を見て「鈴木だろう」「常に社会に対して不満を言ってるから、きっと鈴木がやったんだろう」そう思ったという。それに、最初のうちは名前を出さなかった。ただ、年齢は71歳と出ていた。それで、「鈴木に違いない」と思って電話してきた人が結構いたんだ。ただ、迷惑な話だ。

これからは、〈「下流老人」には気をつけろ！〉となるだろう。下流で生き甲斐はないし、社会に不満を持っている。そういう人が危ない。とコメンテーターが言っていた。さらに言うならば「昔、学生運動をやった人」や「格闘技をやってる人」はもっと危ない。ということになるだろう。左翼・右翼の過激派はもういない。これからは、「先が短くて、やけになってる老人」が一番危ないのか。「下流老人」が「過激派」と言われるんだろう。

また、今まで気軽に乗れた新幹線も、荷物検査などがあったり、警察官が乗り込んだり、いたる所に監視カメラがついたりするのだろう。あるいは、70歳以上のために「シルバー車輛《しゃりょう》」をつくり、そこだけを集中的に監視することになるかもしれない。それというのも、若者たちが暴れないからだ。政府に対し怒っているのなら、デモをやり、抗議集会をやり、反乱を起こしてくれよ。若者こそが過激に闘うべきだ。それなのに、若者は皆、保守化し、おとなしくなり、だから18歳以上も大人にしようとなる。若者が暴れないから、老人たちが過激になる。これはよくない。世の中、逆だよ。と思う。

12　靖国参拝と70年談話について考えた

（第182回　2015年8月19日）

8月15日（土）、靖国神社に行ってきた。早い時間ならば静かに参拝できると思って、午前10時前に行った。でも、もう凄い人だったし、騒然としている。地下鉄・九段下駅から靖国神社までの道は、人がギッチリで、全く進まない。道の両脇には「出店」が並んでいる。お祭りに出てくる、金魚すくいや綿アメなどの「出店」は神社の内も外も一切禁止だが、ここに並んでいるのは政治的プロパガンダの「出店」だ。そして、署名を求めている。もちろん、右派的なプロパガンダばかりだ。「靖国神社に来る人は当然、これを買うべきだ。署名すべきだ」という威圧がある。例えば、「日本を否定する『朝日新聞』を廃刊に追い込みましょう」「大嘘の〝南京大虐殺〟の書いてない、正しい教科書が生まれました。支援しましょう」。そして、「安保法制賛成！」と書かれている。でも、「東京裁判は認められない」「日本は正義の戦争をしたのだ」「悪いのはアメリカだ！」という垂れ幕もある。日本は平和的な国家で、戦争などする気がなかったのに、ルーズベルトが巧妙に日本を戦争に誘い込んだんだ。「ルーズベルトの謀略」にはまって日本は真珠湾を攻撃したんだ。……と信じている保守派の人間や右派の人は今もいる。「東京裁判」は「勝った国」が「負けた国」を裁いているもので、公平なものではない。認められない。日本を戦争にひきずり込み、原爆を落として民間人を大量虐殺したアメリカこそが「戦争犯罪人」だ、という。また、そんなアメリカが「日本弱体化」のために押しつけたのが日本国憲法だ。だから、こんなものはアメリカに叩き返し、自主憲法をつくるべきだ、という。

謀略論にはついていけないが、アメリカからの自立には賛成だ。しかし、自立を主張しながらも、安倍政権の安保法制には諸手《もろて》を挙げて賛成する。これも奇妙な話だ。アメリカの言うとおりに自衛隊を海外に出し、アメリカの侵略戦争の手助けをする。これでは「アメリカの傭《よう》兵《へい》」になってしまう。45年前、三島由紀夫は、このままでは自衛隊は「魂のない武器庫になる」「アメリカの傭兵になる」と言った。そして憲法改正を訴えて自決した。三島ならば、今の事態を見て、「ほら見ろ、アメリカの傭兵になりつつあるじゃないか!」と言うだろう。でも今の保守派や右派は気がつかない。むしろ、こう言う。「45年前に三島が憲法改正を訴えたが、国民の耳には届かなかった。今はやっと届いている。安倍首相自らが憲法改正をやると言っている」。安倍首相信奉者は言う。三島由紀夫、その前の吉田松陰の憂国の叫びを今、実行しているのが安倍首相だと。三島や松陰はこれを聞いて、どう思うのか。

8月15日の靖国神社だが、そんな政治的「出店」の中を通って、やっと靖国神社に着いた。外は騒然としているが、内は静寂だと思ったが、内も騒然・雑然としている。テントをはって、集会が行われている。また、「軍人」が多い。戦争に行ってきたんだろう。「ご苦労さまでした。大変でしたね」と声をかけた。でも、年を聞くと80歳だ、81歳だと言う。70年前の終戦の時は10歳だ。じゃ、その時、軍人だったはずがない。また、立派なヒゲをたくわえた軍人もいる。「アッ、あの人だ!」と思った。映画『靖国 YASUKUNI』や『天皇と軍隊』などにも取り上げられた「軍人」だ。「靖国にはこんな軍人たちが集まり、突撃ラッパを吹き、〝戦争をやれ〟と絶叫している」。そんな文脈で靖国がとらえられる時、必ず出てくる「軍人」たちだ。でも年を聞くと80歳くらいだ。本物の軍人ではない。そして、いわゆる「反日映画」「反靖国映画」には必ず出てくる。そうか、「役者」なのか。普段は全く目立たない、家でも邪魔にされてる老人なのに、8月15日だけは注目される。コスプレして「旧軍人」になり切っていれば、一躍「人気者」になれる。日本だけでなく、外国のカメラマンも写真を撮る。全世界の新聞にデカデカと載る。靖国神社や日本の軍国主義を批判する映画にも取り上げられる。そこでも「主役」だ。その映画を観て、僕らもコロリとだまされる。戦争に参加した旧軍人も日本を憂えて靖国に来ているのかと思ってしまう。

また、「若い軍人」たちもたくさんいた。これはすぐにコスプレだと分かる。軍服を着て、人を集めて演説している人もいる。軍歌を教えている人もいる。中には特攻隊の格好をしてる人もいて、これは心が痛んだ。特攻は尊い犠牲だ。この人たちの犠牲の上に、我々は今、安心して生きている。それなのに、その人たちの格好をしていいのか、と思う。ただただ「申し訳ない」と思い、慰霊をする。「二度と戦争はしません」と誓う。それこそが大事だと思う。それなのに特攻の物語は利用されている。「日本を取り戻す」ために利用されている。それでは、特攻の人に対しても申し訳ない。

この前日、8月14日には戦後70年に関する「安倍談話」が発表された。「侵略」「植民地」「おわび」……などのキーワードをはめ込んで、「安倍カラー」で文章をつくった、という感じだ。村山談話、河野《こうの》談話があるのに、さらに何をつけ加えるのだろう、と思っていたら、過去の談話を継承すると言ってるが、ともかく、その内容を薄め、その上で安倍イデオロギーを出そうとした。そして、やたらと「説明」と「弁解」が多い。さらに、村山談話、河野談話などを引用し、継承するという。そして、言う。〈「謝罪」次世代に背負わせぬ〉と。「次世代」の若者からは好感を持って迎えられているのだろうか。今や、戦後生まれは80%以上になる。でも、これは世界に向かって言うべきことなのか。本人が心の中で思うのなら分かる。しかし、こうして堂々と言うと変に誤解される。村山談話、河野談話などで、さんざん謝ってきた。だから、もういいだろう。いつまで謝る必要があるんだ。と居直っているようだ。日本人のプライド、自分のプライドを示したつもりだろうが、これはどうなのか。弁解や説明をしないで、もっとはっきりと反省、謝罪をしてよかったのではないか。

この安倍談話が発表された夜（正確には8月15日の未明）、「朝まで生テレビ！」で、この問題を取り上げていた。賛成、反対、相半ばしていた。司会の田原さんもかなり不満を述べていた。そして、「今日は戦没者追悼式があります。天皇陛下のお言葉がありますが、かなり踏み込んだものになると思います」と言っていた。安倍政権への不満と、天皇陛下への期待を語った田原さんの個人的な思いだと考えた。しかし、本当にそうなっていた。〈ここに過去を顧み、さきの大戦に対する深い反省と共に、今後、戦争の惨禍が再び繰り返されぬことを切に願い〉と言っている。天皇陛下がお言葉の中で、「さきの大戦に対する深い反省」との文言を盛り込んだのは初めてだという。田原さんの言うとおりだった。深く踏み込んだものになっていた。「もう謝罪はいいだろう。打ち止めだ。そして憲法改正だ」と突き進む安倍政権。それに不安を持つ天皇陛下。そんな構図が、またも見えたような気がした。

第七章　右翼と左翼

1　「怪物弁護士」遠藤先生に学んだこと

（第16回　２００９年1月7日）

そうか、ちょうどこの日なのか。知らなかった。今月の26日（月）、阿佐ヶ谷ロフトで「帝銀事件」についての集まりがある。帝銀事件は確か敗戦直後の事件だった。正確には何年だったろうと、『広辞苑　第六版』（岩波書店）を引いてみた。事件の起きたのは、１９４８（昭和23）年1月26日だ。そうか、それでこの日に集まりをやるのか。ちょうど61年目のこの日に。

『広辞苑』ではさらにこう説明している。

〈東京の帝国銀行椎名町《しいなまち》支店で、行員らが青酸化合物を飲まされ、一二人が死亡、四人が重体となり、現金などが奪われた事件。犯人とされた平沢貞通は犯行を否認したが死刑が確定、未執行で八七年獄死〉

戦後最大の冤罪事件だ。死刑は確定しながらも歴代の法務大臣は誰も判を押さなかった。確信を持てなかったからだ。処刑した後、無罪が証明されるかもしれない。その可能性は大きい。そうしたら無罪の人間を殺したことになる。自分の方が殺人犯になる。そう思って判を押さなかった。だったら釈放したらいいのに、司法の面子《メンツ》で釈放しなかった。そして獄死するのを待った。

捕まえた警察にしても、死刑にした裁判官にしても、寝覚めが悪いだろう。良心が疼《うず》くだろう。自分たちだけがそんな罪の意識に苛《さいな》まれるのは嫌だ。国民の皆にも分担してほしい。そんな思いでつくられたのが裁判員制度だ。これで裁判官の心の負担もグッと軽くなることだろう。

僕が帝銀事件について関心を持ったのは、この事件の主任弁護士の遠藤誠先生と知り合ったからだ。遠藤先生から学んだことは非常に大きい。もう亡くなられたが、一番影響を受けてると思う。

遠藤先生は左翼だ。それも極左だ。でも仏教徒だ。キリスト教徒で左翼という人は結構いるんだから、仏教徒で左翼もいてもいいだろう。自らの立場を「釈迦《しやか》マル主義者」と呼んでいた。仏教徒であり、マルクス主義者なのだ。護憲だ。でも本当は、天皇制打倒論者だ。天皇制は差別の根源であり、諸悪の元凶だという。いつでも、どこでも公言している。昔の僕ならいきなり殴りかかったところだ。でも、この先生なら何を言ってもいいやと思う。そう思わせる「人間の温かさ」があるのだ。

不思議な人だ。考えは全く違うはずなのに、そばにいるとホッとし、安心する。何でも言える。言ってる主張やスローガンじゃない。人間だよな、と思ったのは遠藤先生を通じてだ。反対に、「お前とは同じ考えだ。共に闘おう」と言う右翼の人で、あまり一緒にいたくない人が多い。「天皇制を守る」点では右翼の人と同じだ。でも、「天皇制を守る」運動をやるためには金が必要だ。荒っぽい集め方をしても、きれいに使えばいいんだと言う右翼の人もいる。

それに対し、遠藤先生は「天皇制打倒」だが、皆に優しい。よく奢ってくれたし、カンパしてくれた。警察に捕まると、「同じ反体制の闘いだから」と、無料で弁護をしてくれた。何を信じ、何を守っていてもいい。同じ反体制だから仲間だという。

でも本当は格好をつけて言ったのだろう。だって、左右を問わず「体制寄り」の人とも付き合っていた。思想や趣味で人間を差別しない人だった。「無私」の人だった。まるで天皇じゃないか、と思った。

反天皇、反体制の過激な言辞を吐いている、激しい人だった。でも、寛容な人だった。普通、「激しさ」と「寛容」は両立しない。激しい人は他人を攻撃し、自分への批判も一切許さない。全身、針ネズミのように武装して威嚇する。そんな人は多い。また、寛容な人は、他人の主張に寛容な分、自分の主張もあまり言わない。激しさがないから、自分に対しても他人に対しても甘いのだろう。自分の主張がないから、全てに優しく、甘いのだ。僕も、そんな人を知っている。

でも、過激にして寛容。戦闘的にして謙虚。このアンビバレンツな徳目を一身に備えていたのは遠藤先生だけだ。この人、一人だけだ。

遠藤先生は、よく出版記念会をやっていた。また、何かにかこつけてパーティをやっていた。それも、着席してのフルコース料理だ。立食パーティなど人間のすることではない、と思っていたようだ。フルコースだから会費は高い。でも貧乏人からは取らない。僕らはいつもタダだった。その分、弁護士や裁判官、仕事先の会社から取っていたのだろう。右も左も、雑多な人々が出席していた。反戦自衛官の小西誠さん、『ゆきゆきて、神軍』の奥崎謙三さん、オカマの闘士・東郷健さん、などだ。体制側の偉い人、政治家、実業家、マスコミ人だけでなく、左右の活動家、ヤクザ、犯罪者がいた。これだけの「ゴッタ煮」はちょっとない。

いろんな人が挨拶をする。しかし、必ずいつも釘を刺すことがある。「絶対に褒めるな！」と言うのだ。出版記念会などでは、皆、褒める。「こんな素晴らしい本はない」「こんな立派な人はいない」「天才だ」と。挨拶する方もこれは楽だ。しかし、「褒めるな」「貶せ」と言う。心にもない褒め言葉は嫌いなんだろう。そう思ったが、違う。「褒めたら退席してもらう！」とも言う。本気なのだ。

これは難しい。皆、必死になって遠藤先生の欠点、まずい点を探し、批判する。それを聞いて、遠藤先生は、ケラケラと楽しそうに笑っている。とんでもなく寛容で、度量の広い人だと思った。はじめ、「無理をしてるのかな」と思ったが、違う。批判され、罵倒されるのが楽しいのだ。

あるいは、それだけ自信があるからだろう。寛容なふりをしながら、ちょっと批判されただけですぐにキレる人がいる。他人は遠慮なく罵倒するくせに、自分がちょっと批判されると、ムキになる。あるいは、しょげ返る。そんな人が多い。いや、言論人なんて皆そうだ。その点、遠藤先生は偉い。こんな人は他にいないや、と思ってしまう。天皇のようだな、と思う。でも言えなかった。反天皇主義者の遠藤先生に失礼だと思ったからだ。あっそうだ。それが「一番の批判」になるのか。だったら、挨拶の時にちゃんと言えばよかった。

僕も、遠藤先生を少しでも見習いたいと努力してきたが、ダメだった。気が短いから、すぐに怒鳴るし、他人に批判されると、いじけるし、落ち込む。いけない僕だ。

2　井上ひさしとクニオ

（第42回　2010年1月20日）

その生徒は予備校で「現代文」の授業を受けていた。井上ひさしの『汚点《しみ》』が出た。先生が解説をする。「井上ひさしは有名な作家で、よく大学入試にも出ます。この『汚点』は自伝的作品で……」と説明する。でも、その生徒は知らない。夏目漱石や森鷗外、芥川龍之介は知ってるが、現代作家はよく知らない。それで机の下で携帯を見た。ウィキペディアで「井上ひさし」を検索した。あった。どこで生まれ、どんな作品を書き、どんな政治信条を持っているかも出ている。どうも左翼的な人らしい。天皇制にも批判的で、右翼にも攻撃されている。大変だな、と思って読んでいた。その時だ。「特に一水会代表（当時）鈴木邦男は井上を執拗《しつよう》に脅迫し……」と出ていた。

「ゲッ、これ、うちの先生じゃん！」と、ビックリした。声に驚いて先生が駆けつける。他の生徒も覗《のぞ》き込む。「本当だ。クニオだよ」「こんなことやってたのかよ」と教室中が騒然となった。そりゃ、驚くだろうよ。「現代文」のテキストに出てる作家を調べてたら、その人を脅迫したのがウチの先生だった、なんて。

次の日、学校に行ったら、「本当にそんなことしたの？　クニオ」と訊《き》かれた。「そんなこともあったな。でも昔のことだよ」と言ったら、「サイテイ！」と言われた。

でも、その後、井上ひさしさんには「すみませんでした」と謝罪した。会うたびに謝っている。死ぬまで、謝罪し続けるつもりだ。「確かに、何度も何度も脅迫したよ。でも、徹底的に論破されたんだよ。ウィキペディアにもそれは出てるんじゃないの」と訊いたら、「出てる、出てる」と言う。「返り討ちにあったのか。なさけねー」と馬鹿にされた。

「ナンバー・ディスプレイ」がまだなかったからできたんだよな、ああいう脅迫電話は。今だったら、すぐに逮捕されてしまう。あの頃（20年ほど前だったと思うけど）は、そんな「新兵器」はないから、「嫌がらせ電話」「脅迫電話」はかけ放題だった。「爆弾」や「犯行声明」は、さすがに逆探知されるから公衆電話を使ったが、「嫌がらせ」くらいは相手も警察に届けない。それにこっちが電話するのは天皇の悪口を言う左翼だ。左翼は「反権力」だから、警察に泣きついたりしないだろう。そう思ってやった。それに自分たちは「嫌がらせ電話」とも「脅迫電話」とも思っていない。「国賊」どもに対する「正義の抗議運動」だし、「鉄槌《てっつい》」だと思っている。だから、どんなに大きな声で脅そうと、何十回も続けざまにかけようとも、「正義」「当然」の行為だと思っていた。

実際、「不敬な」作家や評論家たちに電話すると、皆、震え上がる。「すみません」「分かりました」と、ビビりまくっている。それが面白くて、図に乗ってやった。逃げるネズミを追いかけ回していたぶる猫のようだ。

「よし、次は井上ひさしだ。こいつも不敬な発言をしている。許せない」と、仲間の一人が電話をかける。最初は「この野郎！　馬鹿野郎！」と怒鳴っているが、そのうち、口ごもる。そして、「ウルセー！」と言って切っちゃった。次の男が替わるが、途中から黙り込む。そして、「今、忙しいから。じゃ、また」と言って切る。何、言ってんだよ、こいつは。それに、別に忙しくねえだろう。「不敬な奴を脅すのがお前の仕事だろうが」と言ったら、「じゃ、鈴木さん、代わってくださいよ」と言う。だらしがない奴らだ、と思って電話をかけた。井上が出た。逃げない。「あっ、右翼の方ですか。毎日、運動ご苦労さんです」と言う。拍子抜けした。そして、とんでもないことを言う。

「私も天皇さんは好きですし、この国を愛しているつもりです。その証拠に、歴代の天皇さんの名前も全部言えますすし、教育勅語も暗誦《あんしょう》してます。右翼の人は当然、皆、言えますよね。あっ、ちょうどよかった。今、言ってみますから、間違っていたら直してください。どっちからやりましょうか。歴代の天皇さんの名前から言いましょうか。えーと、神武《じんむ》、綏靖《すいぜい》……」とやる。黙って僕も電話を切った。

完敗だ。そうか、井上は歴代天皇の名前も教育勅語も暗誦させられた世代だ。こっちは知らない。悔しいが、どうしようもない。「じゃ、お前やれよ」と残った仲間に言ったが、「とても敵《かな》いません、ダメです」「嫌ですよ」と皆、逃げる。

それから数日して、「よし、もう一回やろう」と思い立った。「でも井上ひさしには敵わないよ」「だから、奴がいない時を狙ってやる。女房や子供を脅す。本人が出たら切ればいい」。

よし、復讐戦だ、と意気込んだ。都合よく、奥さんが出た。「あっ、右翼の方ですね。毎日、運動ご苦労さんです」と言う。調子が狂う。「今の世の中で自分の思想を訴え、貫くなんて大変ですよね。立派ですよね」と言う。「だから私、前からとても興味を持ってたんです。一日中、街宣車で走ってるんですか。それで、朝は何時頃、起きるんですか。朝食は何を食べるんですか。パンや牛乳は毛唐のものだから絶対に食べないんですよね」……と、矢継ぎ早に質問する。まいった。「ウルセー、今、忙しいんだ」と脅迫者の方から電話を切った。次の男も質問攻めに辟易《へきえき》し、電話を切る。「お前やれ」「やだよ」と、皆、逃げ回る。

惨敗だった。それでもう脅迫電話は一切、やめた。

「ヘエー、そんなことがあったのか。クニオもかわいそうだったんだね」と生徒が慰めてくれた。脅迫したのは事実だけど、それは最初だけだ。ほんの出だしだけだ。あとは、ほとんど反論され、質問攻めにされ、おちょくられたのだ。こっちの方が「被害者」だよ。

でも、その後井上さんに会った時は、いつも謝っている。「脅迫事件」から10年くらい経った時だったかな。「すみません。あの時の犯人は僕です。警察でもどこでも突き出してください」と言った。「あっ、あの時のド……じゃなかった、右翼の人が鈴木さんでしたか」と笑っていた。「そうです。あの時のドジな右翼が僕です」と謝罪した。笑って許してくれた。それから、新しい本が出るたびに井上さんには送っている。「鈴木さんは、もう右翼じゃないですよ。言論の自由のために命がけで闘っているし、いい立ち位置にいますよ」と言われた。「いい立ち位置」か。うれしかった。前は、ただの「脅迫青年」だったのに。できることならば、いつか「マガジン9条」で対談できたら光栄だ。

でもまた、完膚なきまでに論破されちゃうんだろうな。

3　長くて暑い8月15日

（第132回　2013年8月21日）

8月15日（木）は、今年最も暑い一日だった。また、熱く語り、叫んだ日だった。最も長い日だった。朝、テレ朝「モーニングバード」の終戦特別番組に出た。僕の発言は少し前に収録したものだが。昼、靖国神社に行った。夕方、ニコ生の終戦の日「大演説会」に出て、大バッシングを受けた。そのあと、ロフトプラスワンに行った。高須基仁さんが毎年やっている「終戦の日・大討論会」に出て、左翼の人たちに批判された。

ニコ生では元気のいい人たちが「日本を守れ！」「中国・韓国になめられるな！」と叫んでいた。それ以上に、大スクリーンに、嫌韓・嫌中の「書き込み」が次々と出てくる。まるで右派・保守派の拠点だ。かつてはディスコだった六本木の巨大な建物は、騒然とした国粋・排外・右派の殿堂となっていた。その前に行った靖国神社も、騒々しかった。静かに慰霊するという雰囲気ではない。軍人の格好をした人々が闊歩《かっぽ》し、突撃らっぱを吹き、軍歌を歌っている。「中国・韓国を許すな！」「憲法改正しろ！」「慰安婦はいなかった」「謝るのは中国・韓国の方だ！」「こんな国とは国交断絶しろ！」……と勇ましいことを言う人々が溢れていた。近くの道路では右翼の街宣車が大音量で軍歌を流し、「戦争をやってでも主権を守れ！」と絶叫している。

靖国神社は人、人、人で溢れ返り、参拝する長い列が続いていた。六本木のニコ生も熱気で溢れ、13万人が見ていたという。〈愛国者〉ばっかりだ。「もうちょっと冷静になれよ」と言った僕は、格好のバッシングの対象になった。「右翼の皮をかぶった左翼め！」「反日！」「売国奴！」……と。さんざんだ。日本の保守・右派は、勢いづき、やたらと攻撃的だ。それに比べて、左翼・リベラルは元気がない。ロフトに行ってそれを痛感した。毎年8月15日の夜は、高須さんがいろんな人を呼んで大激論集会をやっている。いつも超満員だ。ところが、今年は様変わりしていた。客がいない。ガラガラだ。

ロフトの入り口には、「8月15日・大激論集会」と書かれている。「平和だからこそ出来ることもある」と。これはいいと僕は思った。ところが、このせいで人が集まらなかったのかもしれない。「何言ってんだ。今は非常時だ。日本が危ない。闘う気がないのか！　何を寝ぼけたことを言っているんだ」と一般の人は思ったのかもしれない。

この日のゲストは、元赤軍派議長の塩見孝也さん。元全共闘のセクトの親分・三上治さん。そして、脱原発テント村の人々。皆、学生運動の闘士であり幹部だった人々だ。それらの左翼の錚々《そうそう》たる人々が10人、ズラリと壇上に並ぶ。僕もそこに座らされた。ところが客席はと見ると、20人だ。ガラガラだ。店の人が6人、立ち働いている。たった20人の客のために……。

「さっき、ニコ生に出たけど、見てる人は13万人だよ」と僕は言っちゃった。これが現代日本の「左右」の違いなのかもしれない。危機を叫び、勢いに乗り、攻撃的な「保守・右派」。一方、「左翼・リベラル」と言いながら、〈守り〉に回り、ただ追いまくられ、絶滅寸前の「左翼・リベラル」。その対照が見事に出てると思った。僕はというと、「攻撃的な右派」からは排除され、「守りの左翼」からも攻撃されている。全く居場所がない。孤立無援だ。

ロフトで塩見さんが絶叫していた。「8月3日、鈴木君の誕生会というふざけた、プチブル的な集まりではロフトが満員だった。それなのに今日のような真面目な革命的な集まりに人が集まらない。これはおかしい!」と。すみませんね、ふざけた集会に人がたくさん集まって。「きっと、人民に人を見る目がないんですよ。それに、権力の弾圧・謀略ですよ」と僕はつけ加えた。内心、「お前たちはもう終わっているよ」と思いながら。だって、皆、〈過去〉の話ばっかりだ。華々しく闘った〈過去〉の自慢話ばかりだ。〈現在〉がない。〈現在〉に生きてない。もちろん、〈未来〉もない。自分たちは必死に頑張り闘っているのに人は集まらない。誰も聞いてくれない。マスコミや権力が邪魔をしてるからだ……と愚痴ばかりだ。20人の客も、どんどん帰り始める。

そのうち元全共闘がこんなことを言い出した。「我々の正義の主張は全然マスコミに取り上げられないが、鈴木君はうまく立ち回って、マスコミに出ている。今朝もテレビ朝日に出ていた。右派・保守派が一致協力して、鈴木君を押し上げ、マスコミに出しているんだ。その戦略を見習うべきだ」。何言ってんだよ、この人は。右派、保守派からは総バッシングだよ、僕は。この勘違いした人は、さらに言う。「だから我々も、塩見議長を押し上げて、マスコミに出すようにしよう!」。そして後は、「異議ナーシ!」と続く。愚かな人々だと思った。〈過去〉のみに生きている人々の錯覚・勘違いだ。そして最後は、「インターナショナル」を皆で歌って解散した。僕も、この歌は好きだから一緒に歌った。歌いながら、もう左翼は終わったと思った。

よく僕は言われる。「鈴木はマスコミ受けを狙って転向した」と。ニコ生大演説会でも、そんな書き込みが多かった。しかし、「受け」狙いなら、〈右翼・愛国者〉を強調した方がいい。かつて運動なんかしたこともないのに、「われこそ愛国者だ!」と絶叫し、受けてる政治家や学者、評論家が多いじゃないか。ニコ生大演説会は午後6時から9時までだった。田母神俊雄、石平《せきへい》、デヴィ夫人、井上和彦……さらに自民党、維新の会の国会議員はじめ18人が喋る。1人10分の演説だから、18人で3時間だ。元気のいい人が多い。「東京裁判を見直せ!」「憲法改正しろ!」……と。僕の前に出た孫崎《まごさき》享《うける》さんは、元外交官らしく対話の重要性を説いてたら、「帰れ!」「共産主義者め!」と書かれ、攻撃されていた。これで共産主義者かよ、それはないだろうと思った。だから、自分の番に来た時、言ってやった。

僕は45年間、右翼運動をやってきた。だから今の右傾化日本で、どんなことを言えば受けるか、よく知っている。憲法改正し、国防軍を持ち、中国・韓国と闘う！　戦争も辞さずの覚悟で闘い、日本を守る！　そう言えば、受けるし、「そうだ、そうだ」「いいね、いいね」と言われるだろう。しかし、そんな人たちに迎合したくない。本当は覚悟もないくせに〈愛国者〉ぶって、受けを狙っている人も多いが、僕はそんなことはしたくない。今の排外主義的気分は危険だと思うし、一時の勢いに乗った改憲にも反対だ。きっと皆は、こんな奴の意見など聞きたくないと思うだろう。だから、どんどん批判・攻撃の書き込みをしてくれ。たぶん、僕は最低の評価だろう。それでいい。……そう前置きしてから話し始めた。10分間はアッという間に終わった。大スクリーンにはバッシングの嵐だった。終わって見たら、どれだけの支持・賛成があったか、結果が出る。「僕は最低ですよね」と聞いたら、「そうですよ。あそこまで言うんですから」とスタッフに言われた。まあ、思ったとおりの結果だった。それから、タクシーでロフトプラスワンへ。そこで、左翼の、もう終わった人々と話し合った。久しぶりに心が昂《たか》ぶり、熱くなった一日だった。

4　孤立無援で闘ってきた人たち

（第150回　2014年5月14日）

「『創』や『マガ9』を読んでるけど、今や鈴木さんはすっかり左翼だね。昔はあんなに過激で暴れてたのに」と康芳夫《こうよしお》さんに言われた。康さんは「呼び屋」と言われていた。今なら、イベント・プロデューサーだろう。かつて、モハメド・アリを日本に呼んでアントニオ猪木と闘わせた。また、ネッシーを探しに探検隊を組織して行った。「人間か？　猿か？」と騒がれたオリバー君を連れてきた。そうした派手な「虚業」だけでなく、出版もやった。沼正三《ぬましょうぞう》の『家畜人ヤプー』を世に出した人でもある。三島由紀夫もこの本には驚き、絶賛した。康さんは三島とも親しかった。「楯の会」の人間も康さんの出版社でバイトしたことがある。1970年に三島と共に自決した森田必勝氏も康さんのところでバイトしていた。右翼、左翼を超えて広い人脈がある。不思議な人だ。小説家の島田雅彦さん、宗教学者の中沢新一さんなども康さんに紹介された。他にも多くの人を紹介してもらった。

その康さんと久しぶりに会った。5月4日（日）、信濃町《しなのまち》の千日谷会堂だ。九條今日子さんのお通夜だった。九條さんは寺山修司の元奥さんだ。しかし、別れてからも寺山の仕事を支え、寺山死後は出版、芝居……と尽力した。評論家の中森明夫さんにもお通夜で会ったが、中森さんは言う。「30年前に寺山修司が亡くなりましたが、寺山はむしろ亡くなってからビッグになった。死後、急成長した。10年後、20年後、30年後と、どんどん大きくなった。これは九條さんの力が大きい」と。「そうですよ」と康さんも言っていた。

「そんな話を九條さんの前でしたんだよね、鈴木さん。九條さんはニコニコして聞いてたよね、とても元気だったし、お酒も飲んでたし」と中森さん。そうなんだ。ついこの前だ、九條さんに会ったのは。2月17日（月）、月蝕《げっしょく》歌劇団の芝居を見に行った。阿佐ヶ谷で午後2時半からだった。5時頃終わり、劇団代表の高取英《たかとりえい》さんに、「ちょっと飲みに行きませんか」と誘われ、駅前の店に行った。そこに中森明夫さんや劇団の人、雑誌社の人がいて、高取さんが僕の隣にいた女性を紹介してくれる。「九條今日子さんですよ」と。ビックリした。あの有名な九條さんか。僕の頭の中では伝説的な人だ。感動し、興奮して何を話したのかよく覚えてない。「死後もこれだけ騒がれ人気があるのは、寺山修司と三島由紀夫だけですね」と僕は言った。ノーベル文学賞を取った川端康成だって、没後何年だといって雑誌が特集するわけではない。関連本も出ない。その点、いつまでも取り上げられ、人気があるのは寺山と三島だけだ。「寺山は、演劇・映画・短歌・詩・評論など活躍した分野が広い。若者が関心を、持ちやすい。それにこれだけの寺山ブームをつくったのは、九條さんの力が大きいですよ」と中森さん。九條さんは楽しそうに聞いていた。そして2人に話をしてくれた。78歳だと言うが、元気だったしお酒もずいぶんと飲んでいた。病気をしていたと言ってたが、もう元気になっていたと思っていた。

ところが、およそ3カ月後の訃報だ。驚いた。僕は初めて会ったのに、それが最後になった。中森さんも同じだ。でも、こんな伝説的な人と会えて幸せだった。高取さんのおかげだ。千日谷会堂には大勢の人が来ていた。お通夜の式が終わった後も、一般の人やファンの人たちが献花をしようと長蛇の列ができていた。我々は別室のお清めの席で献杯し、九條さんのことを話し合う。皆は思い出を話し合ってるが、中森さんと僕は会ったのは一度だけだ。他の皆から思い出を聞く。高取さん、康さん、篠田正浩さん（映画監督）、林静一さん（画家）などから話を聞いた。その席で、康さんから「鈴木さんは今や、すっかり左翼ですね。リベラル左翼だ」と言われた。昔、僕が暴れて、よく警察に捕まった頃を知っているので、今の変貌ぶりには驚いているのだ。

篠田さんが言う。「今や僕の方が鈴木さんより右翼だよ。でも。鈴木さんのような立場の人が、ズバズバと言ってくれるのはありがたいね。〝左翼だ〟と叩かれるだろうけど、頑張ってくれている。いや、ありがたいです」。篠田さんは、ゾルゲの映画を撮って以来、映画を撮ってない。去年までは早稲田大学で教えていたという。今度ゆっくり話を聞かせてもらいたい。

「鈴木さん、彼を知っている？　彼は？」と康さんは、いろんな人を紹介してくれる。元全共闘世代の評論家を見つけ、「この人が鈴木さんだよ」と紹介する。「鈴木さんは、昔はバリバリの右翼だったのだ。今は左翼ですよ。極左ですよ」。ところが、紹介された彼は「ぺっ！　何が左翼だ。偽装左翼だよ！」。本人を前にして、これだけ毒づくのは、むしろ偉い。僕なんて、どんなに嫌いな人でも、ニコニコして、ついお世辞を言って名刺を出しちゃう。「お前なんてニセモノだ、嫌いだ！」なんて言えない。紹介した康さんもビックリして、唖然《あぜん》としていた。その人は「世の風潮にこびて、左翼のふりをしている」と言いたいのだろう。「でも、今は右傾化の時代だし、左翼が右翼や愛国者を偽装してることはあっても、逆はないよ。何の得もないし」と康さんは訝《いぶか》しんでいた。

そういえば、3月4日（火）、唐牛《かろうじ》健太郎さん（元全学連委員長）の追悼集会で、元左翼リーダーに紹介された。彼は憤然としている。「俺は天皇主義者とは口をきかない。帰れ！」と言う。今どき珍しく頑固な人だと感心した。また、数年前だが、あるパーティで、有名な左翼文化人を見かけた。考え方は違っても、論理は通っているし鋭い指摘をする。僕は尊敬していた。突然話しかけたら失礼と思い、知り合いの左翼的な人に頼んだ。「鈴木が挨拶をしたいと言ってますが、どうですか」と。ところが、伝言を頼んだ人はすごすごと帰ってきた。「ダメでした、〝右翼反動とは話したくない。同じ場にいたくない〟と言われました」。これも凄い。パーティだったんだから、もう「同じ場」にいるじゃないか。

でも、こんな頑固な人たちは、まだ僕のことを〝右翼〟だと思っている。〝敵〟だと認めてくれているんだろう。それはありがたいことなのだろう。それに、「話し合いたくない」「同席したくない」とは言われるが、いきなり殴りかかったりはしない。その点は紳士だ。ところが、右翼の集会だと、「裏切り者め！」「転向者め！」「恥を知れ！」といきなり詰め寄られることが多い。知らない人に「売国奴め！」と言われて胸ぐらをつかまれたこともある。アパートに火をつけられたこともあるし。ネトウヨのデモに抗議したら、いきなり殴られたこともある。やられっ放しだ。

右翼からは「転向した！」「堕落した」と言われ、左翼からは「反動め！」「偽装だ！」と言われる。どこにも居場所はない。孤立無援だ。でも三島にしろ、寺山にしろ、九條さんにしろ、もっともっと孤立し、無援の闘いをしてきたんだろう。僕なんかは、まだまだ甘い。

青森には寺山修司記念館がある。九條さんはそこの名誉館長をやっていた。寺山は地元の誇りだったし、さぞかし多くの人々に愛されたんだろう。そう言ったら、中森さんに言われた。「そんなに単純じゃないんです」と。地元に寺山修司記念館をつくろうとした時、「〝しゅうじ〟は一人で十分だ」と言って、反対されたという。太宰治の本名は津島修治だ。〝しゅうじ〟は太宰だけで十分だ。何も寺山なんか……。という声が多かったという。また、寺山が亡くなり、記念館を建てた時は、まだまだ寺山は知られていなかった。「死後、有名になったんですよ。

九條さんの力ですよ」と中森さんは言う。皆、激しい道を通ってきたんだ、と痛感した。

5　僕を変えた32年前のある出会い

（第154回　2014年7月9日）

60年安保闘争の時の全学連委員長・唐牛健太郎さんが亡くなって30年。函館《はこだて》のお墓の前で、7月5日（土）、偲ぶ会が行われた。函館山の中腹にお墓はある。すぐ下には海が広がっている。「唐牛がいつも好きな海を見ていられるように」と、この場所を選んだ。そして横長の大きな墓石の上は、ギザギザになっている。「海の波を表している」という。そのお墓をつくった当人の秋山祐徳太子さんが言っていた。

毎年7月に、墓前祭が行われているが今年は30年ということで特に多かった。全国から集まった。直接知ってる人、60年に一緒に闘った人、高校や大学の同級生。それに、会ったことはないが、唐牛さんに憧れ、関心を持っている人なども来ていた。

僕は去年に続いて2回目だ。60年安保の時はもちろん、直接には知らない。ただ、「学生運動の英雄」だと思っていた。凄い人がいると思っていた。「伝説の人」だった。雲の上の人だと思っていた。ところが、1982（昭和57）年にその「伝説の人」に会った。3月19日の「草間孝次氏を激励する会」だ。草間氏は60年安保当時から労働運動・学生運動に関する情報誌を発行していた。右翼の白井為雄《ためお》先生に連れられて行き、そこで唐牛さんを紹介された。70

年安保闘争や、その前の全共闘は年代も同じだし、毎日殴り合いをした「敵」だ。でも、60年安保を闘った全学連というのは、「敵」という意識はなかった。それは、「歴史上の闘い」だし、「伝説」だった。「英雄」を前にしたファンのようだった。

アガってしまい、何を話したか忘れた。ただ、この機会を逃したくないと思い、「ぜひ一水会で講演してください」とお願いした。そして6月に一水会の事務所に来てくれ、話してくれた。それから何度か会った。元気一杯だった。学生運動をやめた後も唐牛さんの人生は波乱万丈だ。全国を放浪したり、漁師になって船に乗ったり。居酒屋をやってみたり。自ら苦難に飛び込んでいるようだった。学生運動の〈責任〉も感じていたのだろう。安保反対闘争は正しかった。しかし、リーダー唐牛さんのもとで、デモは過激になり、警官隊と衝突し、多くの人が傷つき逮捕された。樺《かんば》美智子さんはデモの中で警察官に殺された。傷つき、亡くなり、あるいは獄中にいる仲間のためにも、自分は安易な生活をしてはならない、と思ったのだろう。そして、あえて過酷な道を選び、突き進んだ。

自分のやったことに対し、責任を持っている。男らしい生き方だと思った。酒もよく飲んでいた。「学生運動も酒のようなものだ。うまい酒だから飲んだんだ。そして酔ったんだ」と言っていた。これから大きな国民運動をするか。あるいは政界に打って出るか（これは本人が否定していた）。大きなプランを胸に秘めていると思っていた。ところが出会って2年後に亡くなった。まだ50歳にならない若さだった。

7月5日の唐牛さんの墓前祭で、その話をした。44年前の三島事件。32年前の唐牛さんとの出会い。この二つが自分の中では大きな位置を占めている。「じゃ、今、鈴木さんは左傾してると言われてますが、その左傾は唐牛さんとの出会いから始まるんでしょうか?」と質問された。「うーん、それはあるかもしれませんね」と答えた。遠藤誠弁護士や、ライターの竹中労《ろう》さん。この2人との出会いも大きいし、この2人に多くの人々を紹介された。それ以上に唐牛さんだろう。「左翼=悪」という、それまでの思い込みが覆された。この体験は大きい。

函館では、作家の佐野眞一さんと会った。墓前祭に出て、そのあとの直会《なおらい》にも出ていた。函館にしばらくいて、取材を続けるという。実は、佐野さんは唐牛さんの本を書こうとしている。これは楽しみだ。「仲間うち」ではいくら書いても「限界」がある。佐野さんならば、客観的に、外から見た唐牛健太郎を書いてくれるだろう。「今、こんな形で取材し、書こうとしてます」と詳しく話してくれた。佐野さんも、ライターとして、かなり批判され、悩み、苦しんだ。その体験は、唐牛にも通じるものがあるのか。そんなことを感じた。

60年安保の時の華々しい活動については、僕も知ってるつもりだ。しかし、その後の唐牛さんについては余り知らない。いろんな噂やゴシップ。あるいは「伝説」のたぐいだが、漁師になり、居酒屋をやり、そして徳洲会や山口組との付き合いもある。マスコミではかなり叩かれたようだ。その頃の流転の唐牛さんの心情を知りたい。また、唐牛さんは、この日本をどう変えたかったのか。また、変えたのか。そんなことも知りたい。今の日本を見たら、どう思うのだろうか。

「今の日本を見たら、もう一回、革命運動をやろうとするだろうな」と言う人もいた。「いやいや、あまりのだらしなさに絶望して、何もやらないよ」と言う人もいた。「左右の逆転にビックリするよ」と言う人もいる。「そうだよな、鈴木なんかが連合赤軍のブックフェアをやるんだからな」と言う人も。

そうなんだ。この話は結構、皆の話題になった。「世も末だ」と嘆く人もいる。実は、紀伊《きの》國屋《くにや》書店新宿本店3階で、凄いことをやっている。

〈鈴木邦男が選ぶ連合赤軍ブックフェア〉だ。「何で鈴木が選ぶんだ。左翼の人間が選ぶべきだ」と左翼側からは批判がある。「何で敵の左翼を持ち上げるんだ」と右翼側からも批判されている。両方から攻撃されている。でも紀伊國屋ではやってくれた。勇気がある。僕の判断というか、独断と偏見で選んだブックフェアだ。こんな体験は生まれて初めてだ。大変だったが、いい勉強になった。7月1日から、31日までやっている。批判するためでもいい。行って見てほしい。

6 デマと闘う選挙運動の異常さ

（第165回 2014年12月10日）

12月3日（水）、辻元《つじもと》清美さんの選挙応援に行ってきた。高槻《たかつき》市まで行ってきた。はじめ話があった時は驚いたし、戸惑った。「えっ？ 僕でいいの？」「僕じゃ、かえってマイナスじゃないの？」と聞いた。「ぜひお願いします。大変なんです」とスタッフの人が言う。誹謗中傷されているとは聞いていたが、これほどひどいとは思わなかった。「辻元は極左だ！」「過激派だ！」。そして、「売国奴だ！」「過激派だ！」と、さんざん言われている。また、ネットにも書かれている。街頭で演説中に暴漢に襲われたこともあると言う。「分かりました。お役に立つかどうか分かりませんが、やりましょう」と言った。

新幹線で京都に行き、そこで乗り換えて高槻に。迎えの人の車に乗って、市内の商店街へ。スーパーの前で辻元さんが演説している。「私は極左ではありません！ 反日でもありません。その証拠に〝たかじん〟にもよく出ている鈴木邦男さんとも友達です。鈴木さんは右翼の一水会の人です。右翼の親分です。あっ、今、その鈴木さんが東京から駆けつけてくれました！」と言って、マイクを渡された。

辻元さんとは考えが違うところもあるが、キチンと話し合える人だ。僕は「朝まで生テレビ！」をはじめ、テレビの討論番組では何度も一緒になった。「朝日ジャーナル」など、雑誌でも討論した。論理的に、グイグイと攻めてくる。僕はいつも、やられていた。でも終わって爽やかな感じがした。話し方が正々堂々としているし、揚げ足を取ったり、怒鳴ったりしない。感情的にならない。だから、高槻では言った。

「今の日本に〝右翼と左翼〟がいるのではありません。〝話し合える人と話し合えない人〟がいるんです」と。「話し合えない人」は、相手の話も聞かない。気にくわない人間は、「反日だ」「売国奴だ」「左翼だ」といって誹謗中傷してその人間の全人格を否定する。また、そんな卑劣な批判をする自分は「愛国者」であり、「正義」だと思っている。そう思うからこそ、どんな醜いこともできる。まさに「愛国無罪」だ。愛国者なら何でも許されると思っている。でも、それは間違っている。「愛国心」と言いながら、その行動には全く「愛」がない。単なる個人攻撃である。排外主義だ。

大阪では、ヘイトスピーチのデモもよく行われる。「それは右翼でもなく、愛国者でもありません。ただの排外主義です」と言った。そのデモに「日の丸」が使われている。「日の丸」が泣いている。日本は元々、寛容な民族です。大陸、ヨーロッパ、アメリカから多くの文化を受け入れ、多くの人が来て、それで「日本文化」もつくられた。特に中国、朝鮮から学んだものも多い。だから排外主義は、「日本的」ではない。最も「反日的」なものだろう。

それに、「愛国心」は、口に出して大声で言うべきものではない。その人の行動を見て判断すべきだ。辻元さんは、この国を愛し、この国のため、この国の人々のために活動してきました。「僕なんかより、ずっと愛国者です！」と言った。

辻元さんへの誹謗中傷は、特にネットなどで醜い。「辻元は極左だ」「国賊だ」というだけでなく、「自衛隊を侮辱した。非国民だ！」とも言われた。また「産経新聞」にはこう書かれた。〈辻元は震災のときに「自衛隊は違憲です。自衛隊から食料を受け取らないでください」と書いたビラをまいた〉〈自衛隊活動を視察した際に自衛隊に対し乱暴な言葉を投げつけた〉。これには我慢がならず、訴えた。勝った。でも、今ネットでは同じことで攻撃されている。「裁判で嘘だと証明されたわけでしょう。だったら、これは選挙妨害になるんじゃないですか」と僕は聞いた。今、選挙中のネットは自由なので、こんなことも野放しのようだ。選挙がどんどん下品になる。

「自民党の候補者の演説には、日の丸を持った聴衆が多いです」とマスコミの人が言っていた。困ったことだ。「日の丸」を持って、「自分たちこそが日本人だ」と誇示しているのだろう。それ以外の人間は非国民だ、売国奴だと言っているようだ。

今、野党も弱体で、自民党のひとり勝ちだ。自民党の中でも「タカ派的」「極右的」な人々が元気がいい。昔は、ハト派的な人もいたがそんな人は人気がない。ハト派的なことを言っていたら選挙に落ちる。だから、競い合って、より過激に、より右派的な発言をする。「僕も40年間、右翼運動をやってきて、そう思いつめる気持ちも分かります。だから危ないと思います。〝ちょっと待てよ〟〝これでいいのか〟と立ち止まり、冷静に考えることが必要なのです。それをやってくれるのが辻元さんです」と訴えた。

僕は、愛国運動、右翼運動の素晴らしさは分かる。楽しかったし、生き甲斐も感じた。と同時に、それが暴走した時の怖さ、危険性も知っている。皆が同じことを考えている集団・国家ではなおさらその危険性がある。皆が同じ考えだから、より過激なことを言った方が勝つ。今の日本も同じだ。

高槻では、車をとめて、いろんなところで演説した。演説するのは辻元さんと僕の2人だけだ。時には2人で対話しながら、この日本のことを考えた。また、僕が演説してる時は、辻元さんが一人ひとり、握手して、話を聞いている。マイクを向けて、喋ってもらったりしている。こんな講演会は僕としては初めてだったので、とても新鮮だった。辻元さんが演説する時は、僕が握手して回る。「辻元をよろしく」と。

選挙は大変だと痛感した。日本の行方を論じ、自分の考えを述べるのが選挙のはずだ。ところが今は、誹謗中傷やデマとまず闘わなくてはならない。「愛国者」を自称する狂気、熱狂と闘わなくてはならない。

自社対立していて、政治的論争点がはっきりしてる時の方が、政治も選挙も、もう少しマシだったのではないか。「非武装中立」「有事駐留」などを言う人もいた。愛国心、国旗・国歌についても、いろんな意見を言えた、今、そんな多様なことを言う自由はない。言ったら、叩きつぶされてしまう。「反日だ！」「国賊だ！」と言って、叩きつぶされる。選挙は明らかに劣化している。政策を論じる以前に、中傷や噂、風評被害が充満し支配している。日本人全体が劣化しているのか。そんな選挙の現実を見てきた。そんな気がした。

7　一水会「脱右翼宣言」と、これからのこと

（第181回　2015年8月5日）

今年の夏は特に暑く感じられる。8月1日（土）付で、僕は一水会顧問を辞任した。8月1日発行の一水会機関紙「レコンキスタ」にそのことを書いている。また、8月2日（日）、阿佐ヶ谷ロフトで僕の「生誕祭」をやったが、その場でも発表した。この日は僕の新刊『新右翼〈最終章〉――民族派の歴史と現在』（彩流社）が発売されたが、その中でも詳しく書いている。8月10日（月）の「一水会フォーラム」では、僕が講師になって、「一水会43年の歴史」について話をする。

実は、僕の顧問辞任は大したことではない。一水会、そして右翼全体が今、大きな激震に襲われている。事情通の人なら知ってるだろうが、一水会は、このところ、右翼全体からもの凄い批判を浴び、攻撃されてきた。何せ「国賊！」とビラが貼られ、右翼の街宣車が押しかけていた。高田馬場の一水会事務局だけでなく、木村三浩氏（一水会代表）の自宅まで黒い街宣車が押しかけて「国賊！」と攻撃していた。その中で話し合いも続けられ「これからは一切、右翼と名乗らない」と木村氏は言い、「脱右翼宣言」をした。その経緯については一水会のＨＰなどに書いてあるので、関心のある人は読んだらいいだろう。また、今発売中の「宝島」（9

月号）に木村氏がその事情を話している。くしくも、「宝島」はこの次の号で休刊になる。この「宝島」のタイトルが凄い。編集部がつけたのだろうが、こうなっている。

〈〝右翼落第〟と言われて
「黒幕」と呼ばれた男の自省録
一水会代表・木村三浩〉

木村氏や僕などはテレビや新聞に出て喋ることが多い。運動をする者として、「この問題はどう思うのか」と聞かれたら、答える義務があると思っているからだ。また、質問だけでなく、対談や討論番組でも呼ばれたら逃げないで応じてきたつもりだ。そのたびに「これは一水会の考えだが」とか「個人的にはこう思う」と言ってきたが、あたかも「右翼全体」の考えのように発表されることもある。それは僕らも気をつけているのだが、誤解されることも多い。右翼全体としたら「こいつらはもう右翼ではない！」と怒る。特に、木村氏が鳩山由紀夫氏と一緒にクリミア訪問したことが大きい。「ロシアの味方をしている！」「売国的行為だ！」となって、右翼の街宣車に押しかけられた。「右翼が右翼の街宣車に取り囲まれて攻撃される」という奇妙な事態になった。まわりの住民にとってはたまらない。「警察は何とかしろ！」と言う人がいても、警察は一切止めない。やらせている。わざと事を大きくさせているのだ。公安警察はむしろ、たきつけている。右翼団体を回って「一水会はこんなことを言ってますよ。こいつらいる。抗議しましょう」と煽っているのだ。

「宝島」はタイトルこそセンセーショナルだが、中身は真面目だし、木村氏も真剣に話している。リードにこう書かれている。

〈「猪瀬《いのせ》前都知事5000万円授受」「鳩山由紀夫氏のクリミア訪問」で注目された大物右翼が〝脱右翼宣言〟〉

さらにこう書かれている。

〈ふたつの〝騒動〟でメディアから〝黒幕〟としてバッシングを受けた〝大物右翼〟木村三浩一水会代表。新右翼の論客として知られる木村氏だが、この5月、突如「脱右翼」を宣言。その理由、そして騒動の真相を、自省を込めて語り尽くした〉

二つの〝騒動〟というが、問題とされてるのは「クリミア訪問」だけだ。それに、一水会に対し、「こいつらはもう右翼ではない！」という批判は昔からあった。僕の発言や行動に対して、ずっとあったのだ。一水会をつくったのは1972年で、僕が代表をやってきた。2000年からは木村氏が代表をやっている。この代表交代の時も「こいつらは右翼じゃない！」「鈴木は国賊だ！」という右翼の批判が多く、そのため僕が責任を取って代表を辞めた。そんな経過もあった。それがずっと底流にある。だから僕の責任も大きいと思い、今回は顧問も辞めたのだ。

2000年に木村氏が新しい代表になったが、1999年は「国旗国歌法」が法制化された年だ。僕は法制化には疑問だったし、「法の強制」がないと国旗、国歌と認められないのか、と反対した。僕は「日の丸」「君が代」は好きだ。ただ、学校などで強制されることには反対だった。この法律ができた後「起立しているか」「本当に声を出しているか」をチェックしていた。こんなことまでして「君が代」を強制されるのでは「君が代」がかわいそうだ。また、「日の丸」だって利用される。もっと大事にしていいのではないか、と思った。そんなことをいろんなところで言った。これは僕だけでなく、他の人も言っていた。

このかなり前だが、愛国党の赤尾敏さんは、「日の丸、君が代は大人が大事にして見せたら、子供はそれを見て、ならう」と言っていた。大事だと思う大人が、例えば国会議員が国会で毎日、日の丸の前で「君が代」を歌えばいい。起立しないからといって共産党や社民党の議員を処分できない。国民に選ばれた代議員だからだ。だから、弱い立場の学校に押しつけている。これはおかしい！　と言っていた。僕はそれには大賛成だった。そして「朝日新聞」にこう書いた。問題をはっきりさせるために、国民投票をしたらどうだ。それで国旗・国歌を決めようと。「その結果、国旗が赤旗になったら従う。国歌がインターになったら歌う」と言った。絶対にそんなことはないと思ったから、安心して言ったのだが、右翼の多くはこれにカチンときた。一水会の若者が街宣していても、他の右翼の人に取り囲まれ、「お前のところの代表は、国旗は赤旗でいいって言ってるぞ」「インターが国歌でもいいと言ってるぞ！」って言われる。これには僕もまいった。後輩たちに迷惑をかけられないと思い、代表を辞めた。そして2000年からは木村氏が代表になった。僕は顧問になった。それから15年。今度は顧問も辞めたのだ。

「右翼」という言葉は別に僕らが自分から名乗ったことはない。でも、マスコミや一般の人からは「右翼」と呼ばれることが多い。そのたびに訂正するのも面倒だし、「まあ、何とでも呼んでくれ」という感じだった。いわば「あだ名」のようなものだと思っている。ところが右翼の大部分の人たちは、「右翼」という言葉に誇りを持っている。そして、変な人間が勝手なことを言うことに怒っている。「こんな奴らと一緒だと思われたくない」「こんな奴らは右翼じゃない！」と思っているのだ。だから、「右翼をやめろ！」と言うわけだ。やめるも何も自分から名乗っていないのだが、まあこの気持ちも分かる。それで木村氏は、「自分からは一切、右翼という言葉は使わない」と言った。抗議されて、そう言ったようだが、かえってこれはよかったかもしれない。「これからは右翼と呼ばないでください」と言えるし。一つの思想運動、一つの変革運動として、やるだろう。一水会も僕もかえって自由な世界で、発言や行動の幅も広がると思う。

この暑い夏、多くの人に心配をかけたが、木村氏も僕も元気です。これからも新しい挑戦をしていこうと思っています。今後ともよろしくお願いします。

解説　覚悟の男・鈴木邦男

白井　聡

本書は、言うなれば、鈴木邦男の遺言だ。私たちは、邦男さんの「最後の言葉」から何を受け取るべきだろうか。

本書を読みながら、「鈴木邦男は不思議な人だった」と改めて思った。不思議な文章を書くのだ。憲法に関する見解、ネトウヨやらヘイトスピーチやらに関する見解、日本近代史に関する見解、それらの内容をイデオロギー的に分類すれば、晩年の邦男さんの立場は事実上、リベラルあるいは左派に位置づけられるものになっていた。ならば、鈴木邦男は元右翼の左派論客だった、と言うべきなのか。なぜだかそれはしっくりこない。

本書をはじめ、邦男さんの著作を読めば読むほど、右か左か、という座標軸がどうでもよくなる。この世界でのポジショニング、すなわち、世間からどう見られるか、どんなレッテルを貼られるか――多かれ少なかれ誰もが気にすることどもをものともしない特異な精神が、否《いや》が応《おう》でも読者の目に飛び込んでくるからだ。

この特異で強靱《きょうじん》な精神は、同時に謙虚でしなやかな精神でもあり、また自己を懐疑する精神でもあった。本書に収められた文章には、一つのパターンが多く見られることに読者は気づかれるであろう。進行中の現象を取り上げる邦男さんが、その現象についてかつてどのように考えたりどのような運動をしていたかを振り返り、そして過去の自分の短慮を思い起こして教訓を導き出す。そのような筆の運びである。しばしば文の末尾は「そんな気がする」という言葉で締め括られ、書かれたこと全ては所詮鈴木邦男の主観的感覚でしかないことが、表明される。

これほど「独断」から遠く離れた文章はあるまいと思う。かと言って、邦男さんは「深刻に反省する自分」を見せつけたりもしない。飄々としたユーモアが横溢《おういつ》しているから、読者に反省を強いるような押しつけがましさとは無縁なのだ。こんな文章を書ける日が自分にも来るだろうか、と思うと私はしばしば途方に暮れる。

だが、そんな飄々とした邦男さんがさまざまに嫌な思いをしたこともあったことが、本書所収の文章には赤裸々に綴《つづ》られてもいる。

「鈴木さん、彼を知っている？　彼は？」と康さんは、いろんな人を紹介してくれる。元全共闘世代の評論家を見つけ、「この人が鈴木さんだよ」と紹介する。「鈴木さんは、昔はバリバリの右翼だったのだ。今は左翼ですよ。極左ですよ」。ところが、紹介された彼は「ぺっ！　何が左翼だ。偽装左翼だよ！」。本人を前にして、これだけ毒づくのは、むしろ偉い。僕なんて、どんなに嫌いな人でも、ニコニコして、ついお世辞を言って名刺を出しちゃう。「お前なんてニセモノだ、嫌いだ！」なんて言えない。紹介した康さんもビックリして、唖然としていた。その人は「世の風潮にこびて、左翼のふりをしている」と言いたいのだろう。「でも、今は右傾化の時代だし、左翼が右翼や愛国者を偽装してることはあっても、逆はないよ。何の得もないし」と康さんは訝しんでいた。

そういえば、3月4日（火）、唐牛健太郎さん（元全学連委員長）の追悼集会で、元左翼リーダーに紹介された。彼は憤然としている。「俺は天皇主義者とは口をきかない。帰れ！」と言う。今どき珍しく頑固な人だと感心した。また、数年前だが、あるパーティで、有名な左翼文化人を見かけた。考え方は違っても、論理は通っているし鋭い指摘をする。僕は尊敬していた。突然話しかけたら失礼と思い、知り合いの左翼的な人に頼んだ。「鈴木が挨拶をしたいと言ってますが、どうですか」と。ところが、伝言を頼んだ人はすごすごと帰ってきた。「ダメでした、〝右翼反動とは話したくない。同じ場にいたくない〟と言われました」。これも凄い。パーティだったんだから、もう「同じ場」にいるじゃないか。

ここに浮かび上がるのは、ほとんど「聖人」の相貌だ。見様によっては器の違いを見せつけているとも言える。「鈴木邦男と同席するなんて真っ平だ」というのなら、その場にいなければよいのに、それはせずに、声をかけられたら「俺は鈴木邦男なんか相手にしない」と言う連中。そんな半端な雑魚から侮辱を受けながら、邦男さんはこう続ける。

でも、こんな頑固な人たちは、まだ僕のことを〝右翼〟だと思っている。〝敵〟だと認めてくれているんだろう。それはありがたいことなのだろう。それに、「話し合いたくない」「同席したくない」とは言われるが、いきなり殴りかかったりはしない。その点は紳士だ。ところが、右翼の集会だと、「裏切り者め！」「転向者め！」「恥を知れ！」といきなり詰め寄られることが多い。知らない人に「売国奴め！」と言われて胸ぐらをつかまれたこともある。アパートに火をつけられたこともあるし。ネトウヨのデモに抗議したら、いきなり殴られたこともある。やられっ放しだ。

右翼からは「転向した！」「堕落した」と言われ、左翼からは「反動め！」「偽装だ！」と言われる。どこにも居場所はない。孤立無援だ。でも三島にしろ、寺山にしろ、九條さんにしろ、もっともっと孤立し、無援の闘いをしてきたんだろう。僕なんかは、まだまだ甘い。

「僕なんかは、まだまだ甘い」と書く邦男さんに、私は脱帽する他ないと感じる。そして同時に、寂寥《せきりょう》の感に苛まれる。邦男さんが逝く前には、宮崎学氏が逝き、大江健三郎氏が逝った。その前には、野坂昭如《あきゆき》氏が逝き、水木しげる氏も逝った。戦後日本の巨星は次々に墜《お》ちてゆく。何か出来事があった時「あの人は何を言うだろうか、どうとらえるだろうか」と私たちが自分の所在位置を確かめるために常に視線を向ける北極星のような存在、仰ぎ見る先輩方が、この10年ほどの間に、続々と鬼籍に入った。

私たちがどこにいるのか、私たちがどこに向かっているのかを、私たちは今や独力で見極めなければならないのだ。最後に遺《のこ》された邦男さんのテキスト、本書は、そんな私たちへの励ましであり、また最良の道標ではないかと私は感じる。他者を否定しないこと、自己を相対化すること、ユーモアを忘れないこと、そして必要な時には体を張ること。ひとことで言えば、「言論の覚悟」。

けれども私たちは、自宅の住所を著書の奥付に記入する勇気を持つことはなかなかできない。それでも、「どこにも居場所はない。孤立無援だ」という邦男さんの言葉は、決して逃げることのできない「覚悟」の内容として、私たちに迫ってくる。右にも左にも属さないとは、無原則と同義ではない。それは、あらゆる場面において、何の権威も前提も抜きに、まさに孤立無援の状態で、自らの価値観と信念にのみ従って判断を下すことを意味するだろう。そんなことが可能なのだろうか。鈴木邦男さんも、邦男さんと同じくらい偉大だった大人たちがもういない世の中で、それはないよ、無理だよ、と愚痴をたれたくもなる。そんな愚痴に対して、邦男さんが生きていたら、何を言ってくれるだろうか。

かく言う私は、邦男さんについて「想《おも》い出《で》は尽きない」と述べるほど、濃密な付き合いをさせてもらったわけではない。私が邦男さんと知り合った時（それは2012年頃だったと記憶するが）、彼はすでに酸いも甘いも嚙み分けた好々爺《こうこうや》然としていた。かつて敵からも味方からも恐れられたほどの闘士であった邦男さんを知っているわけではない。

最初にお会いする機会を得たのは、都内で行なわれたあるトークイベントにおいてであったが、私はオファーを打診された時、即座に受けた。世間的には私は左派論客として認知されていたはずで、「鈴木邦男と付き合うなんて」と陰口を叩く者もいるだろうとは思ったが、そんなことはどうでもよかった。左だとか右だとかいったレッテル、ポジショニングなど一切気にせず言論活動をしている人間、つまりは本物の言論人に私は会いたかった。

そして、そんな縁から2017年には、祥伝社から『憂国論——戦後日本の欺瞞《ぎまん》を撃つ』と題された対談本を出版した。この仕事ができたことを、私は一生の誇りとするだろう。この仕事のために邦男さんと何度も会えたことは、かけがえのない経験だ。

そうこうするうちに、私は鈴木邦男さんの周囲に集う人たちとも交流関係を持つようになった。そうした人間関係は邦男さんから私がもらった財産だ。そしてその時、私は「孤立無援」の本当の意味が分かってきたように思う。「どこにも居場所はない」などトンでもない。邦男さんは、たくさんの人たちに居場所を与えていた。それは邦男さんが「孤立無援」を選んだからこそ出現した場所なのだ。誰に対しても先入見を持たず、存在を肯定し、受け入れる。そんな対人作法が望ましいことは誰でも知っている。だが、言うは易《やす》く行なうは難し。それを実行していたのが邦男さんだった。覚悟は「言論の覚悟」だけではなかった。あらゆる予断を排して他者と向き合うこと。そんな、普通は並大抵の心構えではできないことを、邦男さんはあくまで自然体で実践していた。予断を排する＝自己以外の判断基準を持たない、つまり孤立無援であること、それは逆説的にも人と人との豊かなつながりをもたらす。このことを教えてくれた邦男さんには、どれほど感謝してもしきれない。

本書に収録された文章は、最も古いものが２００８年６月、最も新しいものが２０１７年４月の日付が記されている。ゆえに、本書は平成末期の10年近くの時代の世相を写し取ったドキュメントでもある。私たちは、それ以降の令和初期の世相も知っている。この間、マクロ的視点から見て、日本社会によきことは何一つなかったと断言して差し支えないだろう。経済の停滞、所得の減少、格差の拡大は止めどもなく進み、政治は唖然とさせるような厚顔無恥の精神によって占拠された。日本国家の統治は崩壊に向かっていることがはっきりと感じられ、ついには元首相が殺害される事件までもが発生した。本書の邦男さんの筆致を通じて、私たちは近過去を思い起こし、少しずつ、しかし確実に、日本社会の劣化が進んできたことを臨場感を伴って実感することができる。

いったい私たちはどこからどうやって、立て直しを始めることができるのだろうか。左だ右だ、政界再編だ、行政改革だ、と右往左往してみたところで、何も始まりはしない。結局のところ、この社会の構成員、人間の質を取り戻す以外に、本質的な解はない。そして、鈴木邦男の生き様こそ、その解を見せてくれたのではなかったか。

そんな邦男さんが、誰を最も尊敬していたかを本書は教えてくれる。左右を問わない広範な交流が始まったきっかけを邦男さんに与えた人物は、唐牛健太郎であったと邦男さんは回顧している。

遠藤誠弁護士や、ライターの竹中労さん。この2人との出会いも大きいし、この2人に多くの人々を紹介された。それ以上に唐牛さんだろう。「左翼＝悪」という、それまでの思い込みが覆された。この体験は大きい。

それでは、唐牛健太郎の何に、邦男さんは惹かれたのだろうか。

学生運動をやめた後も唐牛さんの人生は波乱万丈だ。全国を放浪したり、漁師になって船に乗ったり。居酒屋をやってみたり。自ら苦難に飛び込んでいるようだった。学生運動の〈責任〉も感じていたのだろう。安保反対闘争は正しかった。しかし、リーダー唐牛さんのもとで、デモは過激になり、警官隊と衝突し、多くの人が傷つき逮捕された。樺美智子さんはデモの中で警察官に殺された。傷つき、亡くなり、あるいは獄中にいる仲間のためにも、自分は安易な生活をしてはならない、と思ったのだろう。そして、あえて過酷な道を選び、突き進んだ。

自分のやったことに対し、責任を持っている。男らしい生き方だと思った。

（傍点引用者）

本書の中で、邦男さんが尊敬した人物が多数登場するが、「男らしい」という言葉が使われるのはこの一カ所だけだ。邦男さんが唐牛に感じた「男らしさ」は、「左翼＝悪」という邦男さんが強固に懐《いだ》いていた観念を打ち壊すほどのインパクトがあったのだった。そして邦男さんが心打たれたのは、唐牛の「責任の取り方」によってであった、と読める。

正しい運動をしたのに、仲間たちが死に、傷つき、投獄された。人間の意図と行為の矛盾、その不条理、それを贖《あがな》う唯一の方法は受苦である。唐牛の生き方を邦男さんはそう受け取り、心を揺さぶられ、人生の軌道までもが変化したのだ。

そのように見ると、邦男さんの言論の覚悟、孤立無援の覚悟、徹底的な自己相対化、そして他者への開かれは、邦男さん一流の責任の取り方に他ならなかったはずだと解釈したくなる。何に対して、どんな矛盾に対して、邦男さんが責任を取り続けようとしたのか。愛国主義なのか、愛国運動なのか。それは私には分からない。ただし、そこに邦男さんを衝《つ》き動かした倫理的衝迫があったことは、疑いようがないと私には思われる。

そんな衝迫から、あの限りなく優しい、多くの人がその側で憩った鈴木邦男が生まれた。「男らしいはやさしいことだと言ってくれ」（かまやつひろし「我が良き友よ」、作詞＝吉田拓郎）。邦男さんはもうここにいない。それでも私は邦男さんの背中を追い続けるだろう。それは邦男さんの謦咳《けいがい》に接する幸運にあずかった者の倫理である。

JASRAC 出 2310110—301

本書は、ウェブマガジン「マガジン9条」（現「マガジン9」）連載の「鈴木邦男の愛国問答」全225回（2008年6月4日〜2017年9月27日）のうち50回分をピックアップして、それをもとに編集したものである。

本書には、今日の観点から見ると不適切な表現があるが、記事の時代性や、著者が故人であることを鑑み、原文ママとした。

鈴木邦男（すずき くにお）

一九四三年、福島県生まれ。著書に『右翼は言論の敵か』『愛国者の憂鬱』（坂本龍一との共著）『憂国論―戦後日本の欺瞞を撃つ』（白井聡との共著）『言論の覚悟 最終章』など多数。

白井 聡（しらい さとし）

一九七七年、東京都生まれ。政治学者、京都精華大学教員。著書に『国体論―菊と星条旗』『武器としての「資本論」』『今を生きる思想 マルクス 生を呑み込む資本主義』など。

鈴《すず》木《き》邦《くに》男《お》の愛《あい》国《こく》問《もん》答《どう》

二〇二四年二月二一日 第一刷発行　集英社新書一二〇一B

著者……鈴《すず》木《き》邦《くに》男《お》　解説……白《しら》井《い》 聡《さとし》
編者……マガジン9編《へん》集《しゅう》部《ぶ》
発行者……樋口尚也
発行所……株式会社集英社
東京都千代田区一ツ橋二-五-一〇　郵便番号一〇一-八〇五〇
電話　〇三-三二三〇-六三九一（編集部）
　　　〇三-三二三〇-六〇八〇（読者係）
　　　〇三-三二三〇-六三九三（販売部）書店専用

装幀……原 研哉
印刷所……TOPPAN株式会社
製本所……加藤製本株式会社　定価はカバーに表示してあります。

 ISBN 978-4-08-721301-0 C0236

Printed in Japan

a pilot of wisdom

集英社新書　好評既刊

社会——B

中国人のこころ　「ことば」からみる思考と感覚　小野秀樹
わかりやすさの罠　池上流「知る力」の鍛え方　池上　彰
メディアは誰のものか　——「本と新聞の大学」講義録　一色　清／姜　尚中ほか
京大的アホがなぜ必要か　酒井　敏
天井のない監獄　ガザの声を聴け！　清田明宏
限界のタワーマンション　榊　淳司
日本人は「やめる練習」がたりてない　野本響子
俺たちはどう生きるか　大竹まこと
「他者」の起源　ノーベル賞作家のハーバード連続講演録　トニ・モリスン
言い訳　関東芸人はなぜM-1で勝てないのか　塙《ナイツ》　宣之
自己検証・危険地報道　安田純平ほか
都市は文化《アート》でよみがえる　大林剛郎
「言葉」が暴走する時代の処世術　太田　光／山極寿一
性風俗シングルマザー　坂爪真吾
美意識の値段　山口　桂
ストライキ2.0　ブラック企業と闘う武器　今野晴貴
香港デモ戦記　小川善照
ことばの危機　大学入試改革・教育政策を問う　東京大学文学部広報委員会・編
国家と移民　外国人労働者と日本の未来　鳥井一平
LGBTとハラスメント　神谷悠一／松岡宗嗣
変われ！東京　自由で、ゆるくて、閉じない都市　隈　研吾／清野由美
東京裏返し　社会学的街歩きガイド　吉見俊哉
人に寄り添う防災　片田敏孝
プロパガンダ戦争　分断される世界とメディア　内藤正典
イミダス　現代の視点2021　イミダス編集部・編
中国法「依法治国」の公法と私法　小口彦太
福島が沈黙した日　原発事故と甲状腺被ばく　榊原崇仁
女性差別はどう作られてきたか　中村敏子
原子力の精神史——〈核〉と日本の現在地　山本昭宏
ヘイトスピーチと対抗報道　角南圭祐
世界の凋落を見つめて　クロニクル2011-2020　四方田犬彦
「自由」の危機　——息苦しさの正体　藤原辰史／内田　樹ほか
「非モテ」からはじめる男性学　西井　開

妊娠・出産をめぐるスピリチュアリティ　橋迫瑞穂
マジョリティ男性にとってまっとうさとは何か　杉田俊介
書物と貨幣の五千年史　永田希
インド残酷物語　世界一たくましい民　池亀彩
シンプル思考　里崎智也
韓国カルチャー　隣人の素顔と現在　伊東順子
「それから」の大阪　スズキナオ
ドンキにはなぜペンギンがいるのか　谷頭和希
何が記者を殺すのか　大阪発ドキュメンタリーの現場から　斉加尚代
フィンランド　幸せのメソッド　堀内都喜子
私たちが声を上げるとき　アメリカを変えた10の問い　和泉真澄　坂下史子ほか
「黒い雨」訴訟　小山美砂
差別は思いやりでは解決しない　神谷悠一
ファスト教養　10分で答えが欲しい人たち　レジー
非科学主義信仰　揺れるアメリカ社会の現場から　及川順
おどろきのウクライナ　橋爪大三郎　大澤真幸
対論　1968　笠井潔　絓秀実

武器としての国際人権　藤田早苗
小山田圭吾の「いじめ」はいかにつくられたか　片岡大右
クラシックカー屋一代記　涌井清春　金子浩久構成
カオスなSDGs　グルっと回せばうんこ色　酒井敏
「イクメン」を疑え！　関口洋平
差別の教室　藤原章生
ハマのドン　横浜カジノ阻止をめぐる闘いの記録　松原文枝
なぜ豊岡は世界に注目されるのか　中貝宗治
続・韓国カルチャー　描かれた「歴史」と社会の変化　伊東順子
トランスジェンダー入門　周司あきら　高井ゆと里
スポーツの価値　山口香
「おひとりさまの老後」が危ない！　介護の転換期に立ち向かう　上野千鶴子　高口光子
男性の性暴力被害　宮﨑浩一　西岡真由美
推す力　人生をかけたアイドル論　中森明夫
正義はどこへ行くのか　映画・アニメで読み解く「ヒーロー」　河野真太郎
さらば東大　越境する知識人の半世紀　吉見俊哉
「断熱が日本を救う」　健康、経済、省エネの切り札　高橋真樹

a pilot of wisdom

集英社新書　好評既刊

スポーツウォッシング　なぜ〈勇気と感動〉は利用されるのか
西村 章　1190-H

都合の悪い政治や社会の歪みをスポーツを利用して覆い隠す行為の歴史やメカニズム等を紐解く一冊。

一神教と帝国
内田 樹／中田 考／山本直輝　1191-C

ウクライナ戦争の仲介外交など近隣国の紛争・難民問題に対処してきたトルコから「帝国再生」を考える。

ルポ 無料塾「教育格差」議論の死角
おおたとしまさ　1192-E

余裕がない家庭の子に勉学を教える「無料塾」。平等な教育を実現するだけでは解決できない問題とは？

正義はどこへ行くのか　映画・アニメで読み解く「ヒーロー」
河野真太郎　1193-B

多様性とポスト真実の時代と向き合う〝新しいヒーロー〟とは。MCUからプリキュアまで縦横無尽に論じる。

イスラエル軍元兵士が語る非戦論
ダニー・ネフセタイ　構成・永尾俊彦　1194-A

愛国教育の洗脳から覚め、武力による平和実現を疑う彼の思考から軍備増強の道を歩む日本に異議を唱える。

さらば東大　越境する知識人の半世紀
吉見俊哉　1195-B

都市、メディア、文化、アメリカ、大学という論点を教え子と討論。戦後日本社会の本質が浮かび上がる。

「おりる」思想　無駄にしんどい世の中だから
飯田 朔　1196-C

なぜ我々はこんなにも頑張らなければならないのか。深作欣二や朝井リョウの作品から導いた答えとは？

「断熱」が日本を救う　健康、経済、省エネの切り札
高橋真樹　1197-B

日本建築の断熱性能を改善すれば、「がまんの省エネ」やエネルギー価格高騰の中での暮らしがより楽になる。

おかしゅうて、やがてかなしき　映画監督・岡本喜八と戦中派の肖像
前田啓介　1198-N〈ノンフィクション〉

『日本のいちばん長い日』など戦争をテーマに撮り続けた岡本喜八。その実像を通して戦中派の心情に迫る。

戦雲《いくさふむ》　要塞化する沖縄、島々の記録
三上智恵　1199-N〈ノンフィクション〉

本土メディアが報じない、基地の地下化や弾薬庫大増設といった配備が進む沖縄、南西諸島の実態を明かす。

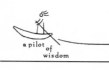